教養としての精神医学

筑波大学医学医療系臨床医学域
精神神経科 講師
松崎朝樹

KADOKAWA

まえがき　精神障害は「遠い誰かの話」ではない

私たちには本来、種の保存に欠かせない「生き残るための能力」が備わっており、たとえば、不安な気持ちになることで、危険な状況から離れるのもその重要な能力のひとつだ。しかし、高度に発達した社会では、不安感はかえって負の方向に働き、私たちの精神のバランスを崩すことがある。

また、精神障害の代表格、幻聴や妄想が生じる統合失調症は、100人に1人の割合で発症する。取り巻く環境も本人の学力も性格も関係なく、100人に1人が発症する。あなたやあなたの家族、友人が発症してもおかしくない。

つまり、精神障害は、ごくありふれた病気であり、「遠い誰かの話」ではない。

実際に、日本における総入院患者数の内訳は、3位が悪性新生物（がんなど）、2位が循環器障害（心不全など）、1位が精神障害である。心筋梗塞や脳卒中、がんの患者よりも、多くの精神障害者が入院生活を送っているのだ。

そのわりに、精神障害に関する情報が少ない。しかも正しい情報が少ない。ゆえに、多くの人が間違った認識を持って、いたずらに怖がっている。

精神障害はほかの病気と同様、早期発見・早期治療が予後にいい影響をもたらす。周囲の人たちの理解や協力があれば、さらにいい結果につながる。

だから、私は本書を書いている。

あなたやあなたの大切な人が、いつ精神障害になるかも知れない。そのときに、いち早く気づき、適切な治療に入れたらどんなにいいだろう。さらには、精神障害を抱えている人を偏見なく理解し、共生していく道を歩めたらどんなにいいだろう。

どうか、そんな世界を想像しながら、本書を読み進めてほしい。

障害が生じているのは一般社会のほう？

私たちが暮らす社会には、健常者も障害者もいる。障害者が特別な存在ではなく、健常者と同じような生活を送ることができたら、それこそが本当の成熟した社会である。

障害があってもなんら特別視せず、一般市民と同等の市民生活を可能にする試みを「ノーマライゼーション」と言う。ノーマライゼーションは、すでに1950年に、北欧諸国で社会福祉を巡る理念として提唱されていた。

それから遅れはしたが、日本でもノーマライゼーションの取り組みは進んでいる。

ただし、精神障害の分野では覚束ないのが現状だ。

障害がある人に接するとき、医療者であれば、医学的見地から「その人」に障害が生じているという認識を持つことが必要になる。さもないと、その人の治療が進まない。

一方で、違う角度から見れば、状況はまったく変わってくる。「障害学」という学問では、障害が生じているのは一般社会のほうであるとも説明される。

ここでちょっと、運動会で行われる「障害物競走」をイメージしてみよう。障害物競走では、競技者ではなくコースにさまざまな障害が設けられている。そのために、走りにくかったり足を取られて転んでしまったりする。その障害物がなければ、競技者はすんなりと走れるわけだ。

要するに、何らかの障害を持つ人たちが社会に出て行こうとしたときに、それを拒むのは本人の障害ではなく、社会の側にある「障害物」つまりハードルである。だから、それを取り除くことでノーマライゼーションは可能になる。

たとえば視覚障害者が社会に出て行こうとしたとき、ハードルとなるのが「道を安全に歩けないこと」だ。そこで、信号に「ピヨピヨ」と音声を付加したり、道路に点字ブロックを設置したりという試みがなされる。下肢などに障害があり車椅子での移動を必要としている人にとっては、階段や段差が大きなハードルとなる。そうした場にスロープやエレベータを設置したり、電車とホームの間に駅員が板を渡したりして、社会に存在する障害を減らし、彼らが社会に出て行きやすくしている。

否定的理解が、彼らの社会生活に悪影響を与える

では、精神障害者はどうだろうか。彼らは、ノーマライゼーションの恩恵に浴しているのだろうか。残念ながら、精神障害者たちが社会に出て行くには、今も多くの困難が伴っている。かなり高いハードルがあるのだが、それは点字ブロックやスロープといったような物理的なサポートで解決できるものではない。

彼らが社会に出て行こうとしたときの障害物は、精神障害というものに対する一般市民の否定的な理解が存在することだ。その否定的理解が、精神障害者の社会生活に悪影響を与えているのが現実なのだ。

たとえば、統合失調症という疾患について、幻覚や妄想など一部の側面について興味本位で語られ、恐ろしい病気というイメージが先行している。

しかし、幻覚や妄想など激しい症状は、急性期と呼ばれる状態が悪化しているときに一時的に見られるもので、治療が開始されれば落ち着いた状態が続く。

治療経過によっては、統合失調症がただの「持病」レベルに収束するケースもある。少なくとも、治療によって症状が軽くなっているケースはとても多いのだ。妄想による犯罪を恐れる人もいるが、実際のところ、統合失調症患者の犯罪率は決して高くない。

精神障害者が社会に出て行くときの、高いハードルを取り除く作業として、最も重要なのは、一般市民が正しい知識を持つことだ。実際に、正しく知れば、精神疾患に関する認識が改善するという報告がある。広く精神疾患について知ってもらうことで、精神障害者たちは社会に出て行きやすくなる。すなわち普通の生活が可能になるのだ。

あなたが知れば、世界が変わる

私は精神医療の専門家として、これまで多くの精神障害者と関わってきた。現在は、筑波大学で精神科の教員として、研修医や学生たちに精神医学を教えている。

さらには、YouTubeで精神医学分野の多くの動画を公開している。それは、医療関係者や、医療系の学生に知識を増やしてもらうことが主目的ではあるが、一般人の理解を深めることにも寄与できていると信じている。

素晴らしいことに、私以外にも医師、看護師、公認心理師、薬剤師などの医療者、そして精神障害の当事者にも、志を同じくする仲間はたくさんいる。我々は広く精神障害について正しい知識を持ってもらうために活動しているYouTuberなのだ。

　そんな私が、今回、広い世代に向け、活字という形で精神障害について説明していく。

　1章では、「心の動きはなんのためにあるのか」「なぜ精神障害になるのか」「精神科と心療内科はどう違うのか」など、多くの人が疑問に思っているだろうことを解説した。まずは、精神医学というものを少しでも身近に感じてもらえたら嬉しく思う。

　2章は本書のメインテーマであるさまざまな精神障害について、ひと通りわかりやすくかみ砕いて説明する。精神障害を患っている人に、どんな症状が生じているのか、彼らがどんなことに困っているのかということも具体的に述べていく。

　そこから知識を得てもらえば、あなたやあなたの周囲の人の「あれ?」にいち早く気づき、適切な対応ができるかも知れない。また、精神障害の当事者を悩ませている社会の障害を、除去していく1人になれるかも知れない。

　だから、あなたが精神障害について学ぶことは、あなたのためでもあり、周囲の人たちのためでもあり、精神障害の当事者たちのためでもある。このことを、どうか心に留めておいてほしい。

　それでは、本格的な精神医学をわかりやすく解説しよう。

目次

第1章 精神医学の不思議

第2章

精神医学から見た「○○な人たち」

身体症状症及び関連症候群

古い用語でヒステリーと言われる障害

摂食障害

パーソナリティ障害

児童・思春期に始まる障害

おまけ

精神医学の歴史

本当は怖い
精神科の歴史

世界史

第1章

精神医学の不思議

心の動きは
なんのため？

勇敢なグッピーは生き残れない

肉食大型魚（バス）と、小さな熱帯魚グッピーを、60時間にわたって同じ水槽の中で飼育した興味深い実験がある。

グッピーは合計60匹で、すぐに逃げる臆病なもの、普通のもの、相手を観察する勇敢なもの、それぞれ20匹ずつ用意された。

その結果、勇敢なグッピーは全滅し、生き残ったのは普通のグッピー3匹、臆病なグッピーが8匹だった。つまり、危険を伴う環境で生き残るために必要なのは、勇敢さよりも臆病さだったことがわかる。

もうひとつ、人間を対象に行った別の実験を紹介しよう。

そこでは、128名の対象者に、怖い刺激を、昼と夜の両方で与えた。すると、夜のほうが昼よりも、怖い刺激に敏感に反応する傾向が認められた。

人間は視覚に頼って生きているので、暗い状態でより不安を感じやすくなるのは当然のことだ。それゆえに、夜になれば安全な家に帰ろうとするわけで、危険な状況で不安を感じるのは、生き残るための機能と言えるかも知れない。

女性は男性の2倍不安

2章で具体的な症状を説明するが、「不安症」という精神疾患がある。この不安症、女性は男性の2倍発症しやすいことがわかっている。日常生活の中でも女性のほうが男性よりも不安を感じやすいのは皆さんも想像できるのではないだろうか。

私たちの遠い祖先が狩猟や採集で食糧を得ていた頃、狩りに出かけるのはもっぱら男性だった。女性は木の実を拾ったりはしただろうが、多くは住居の近くで過ごしたはずだ。狩りの最中には、猛獣に襲われて命を落とす危険性がある。種族の維持を考えた場合、出産できる女性が多く生き残るのは大事だ。だから、女性は安全な場所にいたがるように、不安を感じやすくできていたと解釈できる。

そうした種族維持のメカニズムが、現在の私たちにも働いているのだ。

季節と気分の関係性

私たちの気分は、季節や天候によっても大きく左右される。

夏は活力が出て行動的になるのに、秋から冬は気分が落ち込んで寂しい気持ちになる人は多いのではないだろうか。

これも、一種の生き残り戦略と考えられる。

気温が高く日照時間も長い夏は、狩りにも出やすいし、果物などもたくさん採れる。だから、食糧の心配はあまりせず、性活動も含めて活発に動ける。

しかし、寒い季節には、食糧の蓄えを保つ意味でも、クマの冬眠のようにじっとしてできるだけエネルギーを使わないほうがいい。

そのため、活発だった夏が終わって寒い季節を迎える頃には、寂しく人恋しい気分になって集まり、落ち込んで動くのもおっくうになり、おとなしくじっとして過ごす。こうして、厳しい冬を乗り切っていたとも考えられる。

雨の日は落ち込みやすくて当然

ネズミを使った実験では、低気圧になると動かない時間が長くなることがわかっている。また、双極性障害の患者の躁状態は、湿度が高い（雨や曇りの）日に少なく、湿度が低い（晴天の）日に多いという報告もある。

つまり、気圧が低く雨が降るような日は、行動力は落ちるのだ。

これもまた、私たちの遺伝子に刻み込まれた防御装置だろう。

人間は、体が濡れれば体調を崩す。今は機能的な雨具があって濡れずに外出も可能だし、たとえ濡れてもタオルで拭き取れる。しかし、遠い祖先の時代はそうではなかった。濡れないためには、洞穴のような住居でじっとしているしかない。だから、雨の日には気分が落ち込んで活動的にならないように、私たちは設計されているのだろう。

しょんぼりするのも機能のひとつ

サルなど霊長類の集団で、ボスザル争いのような対立が生じたときに、敗者が陥るうつ状態は集団の安定化に寄与することがわかっている。

サルAとサルBが戦って、サルAが勝った。サルAはボスに収まり、Bはしょんぼり落ち込む。このとき、サルBが負けたのにへこまず、いつまでもやる気満々では、その集団で争いが収まることがなく、いずれ殺し合いに発展しかねない。

しかし、「Aにはかなわない」とサルBが落ち込んでいれば、もう争うこともなく、お互いの生命が保持される。さらに、その集団のヒエラルキーがしっかり構築され、他のサルたちも安心して暮らしていける。

負けたり失敗したりしたときに落ち込むのも、ひとつの大事な機能なのだ。

しょんぼりは考え直すきっかけ

あなたと私が、ジャングルで狩りに出たとしよう。

あなたは最初、「でかい獲物を仕留めてやる」と自信満々だったかも知れない。しかし、一緒にいた私が猛獣に襲われて命を落としたらどうだろう。おそらく、あなたの自信は吹っ飛び、恐ろしさや不安でどこかに逃げ込むのが精一杯。そして、猛獣が去った後に、暗い気持ちでビクビクしながら家路につくだろう。

それでいいのだ。あなたはうつ状態に陥ることで、自信過剰だった認知を変化させ、自分を守る最善の方法について考え直すことができたのである。

あるいは、1人で狩りに出たあなたが、大きな穴に落ちてしまったら……。這い上がれないことに落ちこみ何もする気になれず、しょんぼりして穴の底で過ごすかも知れない。

しかし、ぐったりしていることで、動き回るよりもエネルギーは保持できる。そして、通りかかった誰かに助けてもらえるかも知れない。もし、あなたが元気に動き回っていたら、その人はあなたを助ける必要性を感じないだろう。

ここまで、さまざまな例を出してきたが、「心の動きはなんのため?」にひと言で回答するならば、「健康な体で生きていくために備わった機能」と言えるだろう。

あらゆる精神障害は必要から生まれた

今でこそ、アルコールや薬物などの物質依存、ギャンブルや買い物などの行動依存が社会問題になっているが、昔は何事につけ「やるほど」良かったことは多い。食糧は採れば採るほど喜ばれたし、性生活も活発であるほど子孫を残せた。むしろ、依存するくらいの過剰さは、種族にとってプラスに働いたはずだ。

現代では、依存症、不安症、うつ病……といった精神症状は厄介視されているが、これももともと生き残るために組み込まれた大切な機能なのではないだろうか。

急に激しい不安に襲われるパニック症や、誰かと一緒にいないと不安でいられない分離不安症も、どちらも周囲に助けを求め、生存する可能性を高める機能とも言える。

つまり、精神障害とは、人が生き残るための能力の一部であり、その能力が暴走しているとも考えられる。

現代になじまない「機能の暴走」を助けるのが精神医療

ただし、それら精神症状は、現代社会にはなじまないことが多い。

いくら、不安になることが命を守るために必要だといっても、過度になれば現代社会では外出できなくなったり、人と話すことが困難になったり不利益が生じる。

仕事で失敗したときに、しょんぼりと落ち込みすぎては仕事が進まない。

このように、現代の人間社会では、不安や落ち込み、うつ、依存など、本来であれば大切なはずの機能が、暴走し、多くの人を苦しめ、困らせ、生きづらくしている。

だから、精神医療が必要なのだ。

ひと口に精神障害と言っても、その症状はさまざまである。同じ精神障害でも、重症度も人によって違う。そうしたことを踏まえた上で、その人を見ていくのが精神医療である。

ただ、精神に障害を持つケースでは、自分から医療を求めないケースも多い。そうした患者を、自ら求めないからと言って放っておいては、精神医療は成り立たない。ときに、対話を通して見守ることが、私たち精神医療に携わる者の仕事となる。

さらに、薬物治療などを積極的に行わないと治らないケースや、治るとしても、自傷や自殺、仕事を失うなど大きな危険が予期される場合は、見守るだけでなく適切な手を差し伸べなければならない。

ここで疑問。心はどこにあるのか

古くは、「心は心臓にある」と考えられていた。アリストテレスもその1人だ。現代に生きる私たちも、心を「ハート(心臓)」と表現するし、好きな人の前でドキドキすれば、心臓のあたりに心があるように感じる。

一方で、ヒポクラテスは、「心は脳にある」と現代的理解につながる考えをしていた。そして、17世紀になって、神経を辿ると脳につながることを解剖学者が確認し、心は脳にあるという理解が深まっていった。

このように、昔から心と体の関係について考察され論じられてきたが、なかでも大きな流れをつくったのが、「心身一元論」と「心身二元論」である。

心身一元論には、「唯物論」「唯心論」があり、唯物論は「心のことはすべて大脳で生じる物的現象の結果にすぎない(脳の幻想的なものが心の世界である)」とする「心脳同一説」がメインである。

ほかにも、唯物論には、「機能主義」「哲学的（論理的）行動主義」「消去的唯物論」などややこしい世界が広がっている（興味のある方は勉強されたし）。一方の唯心論は、「心がそれ単体で存在する」と主張するが、物理的世界を否定するものではない。

心身二元論はプラトンから始まり、代表的な哲学者にデカルトがいるが、「脳を含む身体は物理的な法則に従って動作し、そこに心が宿る」という考えである。しかし、そこで心が脳とどう関係するのかについて、納得できる説明がついていない。

現代は、心身一元論の心脳同一説と心身二元論が主に語られているが、精神医学では、心のありかについて特別な結論づけは行っていない。実際に、精神科医によっていろいろな考え方があるものの、それで問題は起きていない。

というのも、心身一元論（心脳同一説）でアプローチするなら、患者との対話も薬も脳に働きかけていると理解することになるし、心身二元論でアプローチするなら、対話は心に働きかけ薬は脳に働きかけていると理解することになる。その理解が二通りあったところで、適切な対話や投薬が行われれば患者の心に良い影響をもたらすはずである。

精神障害って
なぜなるの?

精神障害の原因は3つに分類される

精神障害の原因について、大きく3つに分類する考え方がある。

身体疾患など外的なもので誘発される「外因性」、脳の機能の障害によって生じる「内因性」、ストレスや考え方の癖からくる「心因性」の3つである。

体の病気やアルコールなどの物質の影響で起きる「外因性」

外因性の精神障害は、主に身体の問題が引き金となる。

たとえば、甲状腺機能低下症、貧血、ビタミン欠乏などでうつ症状が出る。

脳腫瘍、脳出血、脳梗塞など脳の器質性異常によっても、あるいは、事故で脳に損傷を負った場合も、精神症状が見られることが多い。また、覚醒剤やアルコールなどの物質の摂取でも精神症状が生じうる。

外因性の精神障害であれば、もととなる身体疾患や脳の器質的異常を治療できれば、そして、アルコールなどの物質摂取をやめることができれば、快方に向かう。

内因性は精神科で扱う代表的な精神障害

精神科医が扱う精神障害で、最も多いのが内因性である。

内因性精神障害には統合失調症、双極性障害、重度のうつ病、強迫症……などいろいろある。脳に何らかの原因が想定される精神障害のことである。

たとえば、ドパミンが中脳辺縁系で亢進して幻覚や妄想が生じたり、セロトニン神経系の機能不全でうつ状態になったりと、その精神障害の原因として脳における何らかの機能障害が想定されるものが内因性である。

内因性精神障害の多くは、薬物療法の対象となりうる。精神科で用いる薬は、抗うつ薬、気分安定薬、抗不安薬、睡眠薬……などさまざまあるが、それらは「向精神薬」と呼ばれる。

心因性は考え方の癖など心理的要因

心理的影響でも精神症状が出る。たとえば、物事をネガティブに考える癖があって不安になりすぎたり、仕事や友人関係で強いストレスを感じてうつ状態に陥ったりする。

心因性の精神疾患には、精神科医による精神療法、心理師による心理療法（カウンセリング）など、対話が重視される。

3つの分類それぞれに適した治療がある

外因性、内因性、心因性の3つの要素には、それぞれ適した治療がある。明らかに原因が特定されているなら、それに特化した治療を受けることになる。

一方で、3つの要素の中間領域にあったり、複数の要素を併せ持っているケースなら、治療法についても多角的に行われる。たとえば、甲状腺機能低下でうつ状態に陥っている患者に対し、甲状腺の治療をしつつも、うつ状態がひどければ向精神薬を使うこともあるし、カウンセリングを行うこともあるという具合だ。

精神科と
心療内科、
何が違うの？

「精神科」と「心療内科」は別

呼吸器内科、血液内科、乳腺外科、口腔外科……大学病院のような規模が大きい医療機関には、いろいろな「科」が存在し、医師もそれぞれ専門分野に特化した仕事をしている。

さまざまな精神障害を抱えた患者が治療を受けるのは、主に「精神科」「心療内科」の2つであり、混同しやすいものに「神経内科」がある。

統合失調症、双極性障害、うつ病、不安症など、精神に関わる精神障害を扱うのが「精神科」だ。神経科、精神神経科という名称が使われることもある。

ところが、うつ病などの精神障害なのに、精神科ではなく「心療内科」に通う人も多いのではないだろうか。実際に、精神科と心療内科の区別は、一般人にとって非常にわかりにくいものとなっている。

摂食障害やパニック症など領域がかぶっている疾病もあるから、一概に離して考えることはできないが、精神科と心療内科は本来、別の立場を取っている。

心の症状を診るのが「精神科医」であるのに対し、心に関わる身体的問題を診る「内科医」が「心療内科医」である。

内科医が心の状態を診るのが心療内科

心療内科は、心理社会的因子の影響で発症したり増悪したりする身体疾患である「心身症」を主な対象とする心身医学を扱う。

心身医学のキーワードは、心と身体が互いに関与し合うという「心身相関」だ。

たとえば、過敏性腸症候群、ストレス性胃潰瘍、緊張性頭痛などは、ストレスなど精神的な因子が身体の不調を引き起こしているものだ。

逆に、身体的不調が長引くことで精神的にまいってしまう人もいるだろう。身体の不調が脳に影響を与えることもある。これも心身相関である。

そういう人たちに対して、内科医が心の状態を診るのが心療内科のはずだが、現実には内科医ではなく精神科医が診察を行っている心療内科が日本には多い。

精神科医が心療内科を開設してしまう理由

たとえば、気分がひどく落ち込んで「自分はうつ病なのではないか」と心配になったとき、あなたはどんな医療機関を訪ねるだろうか。あるいは、朝からお酒を飲まずにいられない家族を見て「このままではまずい」と思ったとき、どこに連れて行くだろうか。

うつ病やアルコール依存症の治療に、最も適切なのは精神科を受診することだ。

しかし、精神科に足を運ぶことに抵抗感を抱く人は少なくない。そこで、医師側が、精神科医でありながら、受診のハードルが低い心療内科を標榜するケースが多々あるのだ。

今、とくに都市部には、心療内科のクリニックがたくさんある。しかし、実際にそこで診療している医師の多くが精神科医である。

ちなみに、もし本物の心療内科医の受診を希望するなら、日本心療内科学会、日本心身医学会に所属している医師を探せば、間違いはないだろう。

精神科と同じ集団だった「神経内科」

もうひとつ、神経内科も精神科と近しい診療科だ。

脳神経内科と表記することもあり、主に運動や感覚の症状が生じる脳、神経、筋肉の病気を扱っている。具体的には、認知症、てんかん、パーキンソン病、脳梗塞などである。

とくに、認知症は、精神科と治療領域がかぶっている。認知症と診断された患者は、精神科で治療されるケースも、神経内科で治療されるケースもある。

神経内科は、もともとは「神経科」などと名乗っていて、精神科と同じ集団だった。そこから、より専門的な集団として枝分かれしていったのが神経内科である。

「脳神経外科」は脳や神経を扱う外科

なお、脳神経外科（脳外科とも言う）は、脳、脊髄、神経を扱う外科で、手術など外科的治療がメインに行われる。脳出血、脳梗塞、脳腫瘍、水頭症、椎間板ヘルニアなどが主な治療分野である。

ひどい頭痛やめまい、喋りにくさなどの症状が出たときに受診すべき診療科で、同じように脳について扱っていても、精神科とはまったく分野が異なる。

「カウンセラー」は心理学の専門家

最後に精神科医と混同されやすいカウンセラーの存在も挙げておこう。精神科医も心療内科医も神経内科医も脳神経外科医も、すべて医学を学んだ医師である。

　そして、心理学を学び、対話を主とした心理療法（カウンセリング）を行うのがカウンセラーである。その主な資格には内閣府認可の協会が認定する臨床心理士と国家資格の公認心理師がある。

第2章

精神医学から見た「○○な人たち」

2章を読む前に――「DSM-5」って何?

本題に入る前に、ここからたびたび登場する言葉「DSM-5」について解説しよう。がんや心筋梗塞は画像で確認できる。糖尿病や肝臓疾患など、血液検査でわかる疾患は多い。感染症も、培養で細菌が検出されれば判明する。こうして、ほとんどの病気は「検査」によって診断がつく。しかし、精神障害の多くには明確な検査がない。

そこで、現代の精神医療の臨床現場で指針となっているのが「DSM-5 (Diagnostic and Statistical Manual for Mental Disorders 第5版)」である。DSMは米国精神医学会がまとめたもので、私が発信しているYouTubeも、DSM-5の診断基準に基づいて述べられている。

初めてDSMがつくられたのは1952年、第2版が出たのが1968年だが、当時はまだ、病気の説明は難解な文章でなされており、明確な基準となりえなかった。

そのため、医師たちの推定による診断が続いていた。目の前の患者の症状が、その医師が持つ精神疾患の概念にどのくらい合致するかで病名が決まったのである。

当然、医師によってブレが出る。実際に、同じ精神障害の患者のデータを同時にニューヨークとロンドンの精神科医たちに送ると、ニューヨークでは統合失調症という診断が多数だったのに対し、ロンドンでは気分障害という診断が多かったという報告もある。

そうしたなかで、1960年代以降、反精神医学（Anti-Psychiatry）の動きが起こり、精神医療に懐疑の目が向けられた。そこで指摘されたのは主に2点。精神医療の名の下に人権侵害が行われているのではないかということと、医師の解釈に基づいた非科学的な医療が行われているのではないかということだった。こうした背景もあって、1980年に改訂されたDSM第3版では、症状をもとにアルゴリズムで診断する「操作的診断」が用いられるようになった。そこでは、原因を扱うことは保留し、病気を症候群（症状の集まり）と捉えようとしたのだ。さらに、1994年の第4版、2013年の第5版と、その内容はより洗練されていった。自分の推定に頼るのではなく、患者の症状を観察しアルゴリズムにあてはめていく操作的診断が普及してくると、医師たちは「A、B、Cの要素から、操作的には○○障害と診断される」という共通の基準が持てるようになった。

さらには、そうした段階を経て、「A、B、Cの要素から、操作的には○○障害と診断される。そこに、D、Eといった要素を勘案すると……」と、本質的な診断が行われている。DSMのような操作的診断は、たしかに味気ない。算数で言えば「途中計算式」のようなものだ。しかし、途中計算式が理解できていなければ、その問題は解けない。

精神科の医療に関わる者にとって、謙虚に途中計算式を学ぶことは必須である。

気分が晴れない、落ち込んでいる人たち（うつ病）

うつ・躁で安定しない人たち（双極性障害）

代表的な気分障害は、「うつ病」と「双極性障害」の2つである。

これらの症状は主に、気分が落ち込んだり、いつになくハイになったりすることだが、これは誰の人生にも当たり前に存在するもので、特殊なことではない。ただ、それが長引いたり、強すぎたりして、生活に支障をきたすような場合には気分障害が疑われる。

ちなみに、「うつ病」と「双極性障害」は、専門医であっても簡単には見分けがつかない。うつ病と思い込んでいるもののなかに双極性障害が隠れているケースが多いのだ。

気分が晴れない、落ち込んでいる人たち（うつ病）

うつ病は、時点有病率で見ると女性5～9％、男性2～3％だが、生涯有病率となると、女性10～25％、男性5～12％に跳ね上がる。つまり、うつ病は、人生において誰でもかかりうるメジャーな精神疾患である。

女性は男性の2倍の罹患率である一方、自殺率となると、男性が女性の2倍も高くなる。

なお、うつ症状が生じるのはうつ病に限ったものではなく、代表的な精神障害では双極性障害がある。

また、うつ病などの精神障害が生じた際、その原因によって「心因性」「外因性」「内因性」の3つに分類される。

失恋などのつらい出来事や、そもそものネガティブな思考によって引き起こされるのが心因性。

脳腫瘍など脳の器質的疾患、甲状腺機能低下などの疾病、ステロイドなど薬の影響で現れるのが外因性。

そして、内因性のうつ症状は、セロトニン、ノルアドレナリン、ドパミン……といったさまざまな「神経伝達物質」

と呼ばれる脳内物質の伝達異常によって脳が機能不全に陥っている状態で、これが精神疾患としての「うつ病」の中核となる存在である。

つらい出来事や
思考などの偏りで
落ち込むのは
心因性

脳の病気、身体疾患、
薬などの影響で
不調が生じる
外因性

脳のレベルで
不調が生じるのが
内因性

うつ病の人たちに起きていること・困っていること

うつ病にかかると、さまざまな「うつ症状」が生じる。うつ症状が生じている状態を「うつ状態」と言い、主に以下の9つが挙げられる。

1 気分が晴れない・落ち込む（抑うつ気分）

何よりも代表的なものだ。とにかく気分が晴れずに落ち込んでしまう。悲しくなって、涙を流すこともあるだろう。

2 好きなことさえしたいと思えない（興味・喜びの著しい減退）

家族や友人とも会いたくないし、誘われても遊びに行く気になれない。好きなテレビやYouTubeも見る気になれない。かわいがっているペットや孫すらかわいいと思えず、むしろわずらわしい。「放っておいてくれ」という気分になる。

3 食べ物がおいしいと思えない（食欲減退や体重減少）

食べ物がおいしく感じられず、これまで好きだった物も食べたいと思えず、食べていても義務的に食べているかも知れない。実際に、食べる量が減って体重が落ちてしまう。

一方で非定型うつ病では、逆に過食に走るパターンもある。とくに「炭水化物飢餓」といって、甘い物などをたくさん食べてしまう。

4　**ぐっすり眠れない（不眠または過眠）**

寝付きが悪かったり、夜中に目が覚めたりする。とくに、早朝に目が覚めて眠れなくなる「早朝覚醒」が多く見られる。眠れても全体に睡眠の質が悪く、ぐっすり眠れた感覚が得られないことが多い。非定型うつ病では逆に長い時間寝ている「過眠」が見られることもある。

5　**当たり前の会話さえできない（精神運動焦燥または精神運動制止）**

そわそわして歩き回ったり、もじもじしたりするなど落ち着かない様子が見られる精神運動焦燥が見られることもあれば、頭が回らず質問にもパッと応じられなくなる応答潜時の延長が見られたり動作が遅くなったり動き出せなくなったりするなどの精神運動制止が見られることもある。

6　**疲れやすい、体がだるい（気力減退や疲労性）**

何事に対しても意欲が持てず、「やらなきゃ」と思ってもできない。お風呂に入るのも、歯を磨くのも、ご飯を食べるのも億劫になる。当然、仕事も進まない。

意欲が落ち活動性が減っているにもかかわらず、疲れやすくなる「易疲労性」やだるく感じる「倦怠感」が生じる。

7 自分が罪深く思えてしまう（自己の無価値感や罪責感）

自分に価値があると思えなくなる。何をしたわけでもないのに、自分が罪深い人間であるように感じてしまう。

8 何をしたらいいのか途方に暮れる（思考力、集中力の減退、決断困難）

文章を読んでいても、文字を目で追うばかりでちっとも内容が頭に入ってこない。テレビを見ていても、会議で人の発言を聞いていても、頭に入ってこない。

物事がなかなか判断できず、たとえば、冷蔵庫の中の素材を見ても夕飯の献立が思い浮かばない。スーパーに行っても、何を買っていいかわからずに途方に暮れる。

9 死を望む（自殺念慮、死についての反復思考）

とにかく死にたくなってしまう。そうした状態を、専門用語で「希死念慮」、なかでも自殺を望むことを「自殺念慮」と言う。

死を望むだけではなく、「自分が死んだらどうなるんだろう」と、自分が死んだ後のことを繰り返し考えることもある。

「DSM‐5」という診断基準では、これら9つのうつ症状のうち、1か2を含む5つ以上が2週間以上続いたときに「うつ病」と診断される。

うつ病は、非常によくある精神疾患で、あなた自身及びあなたの周囲の人々が、この病気と関わる可能性は高い。

ただし、うつ状態はうつ病に限らず、次に扱う「双極性障害」でも見られる。

なお、うつ病の人は朝早く目が覚めてしまう「早朝覚醒」が多い。そして、朝はとくに調子が悪い傾向にある。昼頃になると少しエンジンがかかってきて、夕方になるとややラクに過ごせるものの、眠って朝目覚めると、またひどく調子が悪いというサイクルを繰り返すのが典型だ。

ただし、不安感や焦燥感（そわそわ落ちつかない感じ）は、夜に強まる人も多い。うつ病の人の60%が不安症を伴い、85%は不安症と診断するほどでなくとも何らかの不安を抱えている。

さらに、「微小妄想」（53ページ参照）と呼ばれる妄想を伴うケースもある。

また、うつ病には痛みなど身体症状を伴うこともあり、それがうつ病によるものと本人は気づかないことが多い。そのため、最初から精神科や心療内科を訪れている人は約1割にすぎず、他の人たちは、まずは内科などを受診する。そんな人たちは、あとで解説する「仮面うつ病」（53ページ参照）に注意が必要だ。

さまざまなうつ病（○○うつ病）

- **引っ越しうつ病**（引っ越し作業の疲れや環境の変化によって、転居後に生じる）
- **昇進うつ病**（本来なら嬉しいはずの昇進だが、環境の変化や責任の重さが負担になる）
- **荷下ろしうつ病**（仕事や育児などの負担が軽くなり、かえって心にぽっかり穴が開く。それまでの負担が表に出てくる場合も）
- **空の巣症候群**（子どもの就職や結婚で、母親としての役割を終えたときに起きる）
- **燃え尽き症候群**（精力的に仕事に打ち込んできた人が、急速に意欲を失う）
- **五月病**（4月に入学や就職などで環境が変化し、疲れや適応できない問題が、5月頃に表面化する）

- **退行期うつ病**（ホルモン分泌の減少や体力の衰えもあって、閉経後の女性や初老期の男性が陥る）
- **仮性認知症**（高齢者のうつ病は頭が回らなくなり認知症と間違われることもあるが、うつ病の治療で認知機能が快復する）
- **周産期のうつ病**（妊娠中や産後にはうつ病になりやすい）
- **マタニティブルーズ**（産後10日以内の産褥期、2割の人に一時的なうつ症状が見られる。マタニティブルーズは病気ではないが、うつ症状が強かったり長かったりすれば産後うつ病と扱うべきである）
- **仮面うつ病**（気分の落ち込みを自覚せず、痛みなどの身体症状を主に訴えるため、見逃されやすい）
- **微小妄想**（経済的な問題がないのに自分が貧しいと思い込む貧困妄想、重い罪を犯していると思い込む罪業妄想、重い身体的な病気にかかっているに違いないと思い込む心気妄想がある）

うつ・躁で安定しない人たち（双極性障害）

世界の人口の約1％が双極性障害であると言われる。男女比は1：1で変わらない。一卵性双生児では、どちらかが罹患するともう一方の発病率が89％と高く、遺伝性の要素が強い。家族に双極性障害の人がいれば、自分もかかる確率は高くなると考えていい。

難治性うつ病の6割が双極性障害なのではないかとも言われ、双極性障害の人はもっと多くいて、「隠れ双極」が存在するはずだとする指摘が専門家の間でなされている。

双極性障害について、「うつのときはつらくて暗く、躁のときは楽しく明るい」という単純なイメージを抱いている人がいるが、必ずしもそうではない。躁では、イライラしたり、怒りっぽくなって暴言を吐いたりする問題行動、明るくない躁が見られることもある。

双極性障害の人たちに起きていること・困っていること

まず言えるのは、双極性障害でもうつ状態がよく見られるということだ。この状態はうつ病とまったく同じで、見分けはつかない。

ただ、うつ状態のなかでも、動作が遅くなったり逆にそわそわして落ちつかなくなったりする「精神運動症状」がやや多く見られる傾向にある。それでも、基本的にはうつ病と同様のうつ状態を示す。

双極性障害がうつ病と明らかに違うのは、次のような躁状態が出現することだ。

- **昂揚気分、開放的な気分**
  気分が高まる。いろいろな人に話しかけたりする。
- **怒りっぽくなる（易怒性）**
  小さなことですぐに怒ったり、暴言を吐いたりする。イライラしやすい。
- **考えが頭の中でひしめきあう（注意散漫）**
  さまざまな考えが浮かび、気が散る。

・**どんどんいろんなことを考えていく**（**観念奔逸**（ほんいつ））

速いスピードでいろいろなことを考えるが、浅く散らばっていてまとまらない。

・**話さずにはいられなくなる**（**談話心迫、多弁**）

口数が増え、喋り出したら止まらない。今の時代なら、SNSの投稿が増えることも考えられる。

・**何かをせずにはいられなくなる**（**行為心迫、多動**）

じっとしていられない。異常に活動的になる。

・**睡眠欲求の減少**

睡眠時間が短くなったり眠らなくなったりしがちで、睡眠をあまり求めなくなる。

・**自尊心の肥大、誇大性、万能感**

自分がすごい存在だと思える。「私なら何でもできる」という万能感を持つ。

このように、躁状態のときには、自分を過大評価し、過剰な行動に出やすい。そのため、多額の買い物、不特定多数との性交渉、危険な投資や賭け事などの問題行動に夢中になりうる。

こうした躁状態は、周囲から見れば顕著であっても、うつ状態とは違って本人は自覚に乏しく、躁状態の間、自分を適切に評価することは難しい。

DSM-5の基準では、躁状態によって仕事、家庭、社会活動に問題が生じるほどであったり、入院が必要であったり、妄想を伴うような場合は「躁病エピソード」と定義され、そうした人は双極I型障害と診断される。

一方、仕事、家庭、社会生活に問題が生じるほどではないが、普段とは異なる躁症状が見られるときは「軽躁病エピソード」で、病名としては双極II型障害となる。

要するに、I型とII型の違いは、躁状態の重症度にあると考えていい。基本的にどちらもうつ状態を伴うが、I型ではほとんどうつ状態が現れないケースもある。

ところが、「躁」「軽躁」「うつ」状態のいずれかが、1年に4回以上起こる「急速交代型（ラピッドサイクラー）」と呼ばれるタイプがある。

また、躁状態にうつ症状が混じってイライラしたり、うつ状態に躁症状が混じってそわそわして話が止まらなくなったりするなどの「混合状態」が生じる人もいる。

治療には、
1　夜によく寝るなどの生活リズムの安定
2　炭酸リチウム、バルプロ酸、ラモトリギン、非定型抗精神病薬などの薬物治療法
の2つの継続が重要である。

幻聴や妄想が
出る人たち（統合失調症）

抗精神病薬の副作用が
生じている人たち（パーキンソン症候群）

統合失調症は、幻覚や妄想が生じる慢性疾患である。日本における入院患者数は、3位が悪性新生物質、2位が循環器疾患、1位は精神障害であり、その半分以上を統合失調症が占める。つまり、最も入院患者数が多い疾患なのだ。

きっかけなく発症することもあるが、ストレスで発症しやすくなる。一般の人には「とーしつ」と呼ばれることもあるが、プロの間ではシゾフレニアを略して「シゾ」などと呼ばれる。

統合失調症では薬物治療が必須となる。その薬物治療では錐体外路症状が生じることがある。錐体外路症状の代表的なものが、パーキンソン病でも生じる「パーキンソニズム／パーキンソン症候群」である。パーキンソニズムは、歩きづらいなど動きづらくなるものである。

一方、「アカシジア」「ジスキネジア」「ジストニア」といった症状では、逆にじっとしていられず勝手に体が動いてしまうなど、動きが増える症状がありうる。

抗精神病薬でごくまれに「悪性症候群」が生じることがあることも知っておきたい。

幻聴や妄想が出る人たち（統合失調症）

全人口における統合失調症の有病率は1％弱で、およそ100人に1人が罹患する。男女差はほとんどない。遺伝的要素がいくらかあり、父か母のどちらかが統合失調症だと、子どもが罹患する確率は5～10％と一般より高くなる。

多くは、思春期から40歳くらいにかけて発症する。明らかな症状が出る前に、元気がなくなったりストレスに弱くなったりという「前駆期」があるものの、その時点では診断できない。幻覚や妄想などに代表される明らかな症状が現れた「急性期」に正式な診断が下される。ドパミンの分泌量が増えているはずだが、一般的な臨床ではそれを測定できず症状をもとに診断される。

きちんと治療をすることで急性期を抜け出し、「消耗期」を経て「回復期」に向かう。ただ、薬を中断すると再発しやすく、そのたびに病気が進行してしまうので、再発させないように薬でコントロールしていくことが重要となる。

統合失調症の人たちに起きていること・困っていること

統合失調症では、幻覚や妄想といった「陽性症状」、感情の平板化、意欲の欠如、自閉などいきいきとした生活ができない「陰性症状」、考えがまとまらなくなる「連合弛緩」が見られる。自分に起きた病気について、理解し受け入れることができない病識欠如が治療上、問題になることが多い。

実際に統合失調症と診断されるのは、以下の5つの症状のうち2つ以上（4と5だけの組み合わせは除く）が、半年以上続いたときである（早期治療で半年以内に症状が消失することもあるが）。

1　**幻覚**

幻聴や幻視など。統合失調症では人の声の幻聴が多い。

2　**妄想**

現実とは異なる誤った確信。

3　**話のまとまらなさ**

考えのまとまらなさは連合弛緩と呼ばれる。これがひどいと話が支離滅裂となる。

4 行動のまとまらなさ

行動に現れる連合弛緩または緊張病性（66ページ参照）の行動。

5 陰性症状

感情の平板化や意欲欠如など。

これら症状のなかでも、知覚の障害である「幻覚」と、思考内容の障害である「妄想」がよく見られる。

幻覚に苦しむ人たち「誰もいないのに声が聞こえる」

幻覚には、私たちの五感に沿って「幻聴」「幻視」「幻嗅」「幻触」「幻味」があり、統合失調症ではとくに幻聴が多い。「誰もいないのに幻聴で声が聞こえる」という人もいれば、「幻聴じゃない！　本当の声だ」と幻聴を否定する人もいて、その受けとめ方はさまざまだ。実際の声ではないため、耳栓をしても止まることがない。

具体的には、次のような「言語性幻聴」が多い。

- **注釈幻聴**
「あ、水を飲んでいるぞ」などと、自分がしていることに注釈を入れてくる声が聞こえる。
- **対話性幻聴**
誰かと誰かが話をしている声が聞こえる。
- **命令幻聴**
「そこを右に曲がれ」「そのお茶は飲むな」といった命令が聞こえる。
- **思考化声**

自分が考えていることが声になって聞こえる。

妄想に苦しむ人たち。合理的な説明をしても訂正不能

妄想の定義は、「1・事実とは異なるが」「2・根拠が少ないあるいは乏しいのに確信しており」「3・合理的な説明でも訂正不能」というものだ。実際には、次のような妄想があるが、他者がどれほど合理的に「そんなことはない」と伝えても理解されない。

・**被害妄想**

狙われている、襲われる、嫌がらせをされていると思い込む。

・**関係妄想**

周囲の物事を自分に関係づける。たとえば会話する人を見て「また、私のことを噂している」などと考える。

・**注察妄想**

周囲から見られていると思い込み、「じろじろ見られるんです」などと訴える。

・**追跡妄想**
行く先々まで誰かにつけ回されていると感じる。
・**被毒妄想**
飲食物に毒を入れられたと思い込む。
・**憑依妄想**
自分が何かにとりつかれていると思い込む。
・**恋愛妄想**
有名人などに愛されていると確信する。

これら妄想に加え、自分の思考が誰かにコントロールされているという感覚を抱くこともある。たとえば、「なんでこう思ったんだろう。誰かに電波でこう考えさせられている（思考吹入）」「考えていたはずなのに覚えていない。誰かに思考を抜き取られたんだ（思考奪取）」「私の考えが勝手に人に伝わっている（思考伝播）」などという具合だ。

統合失調症の治療にはほどよくドパミンを遮断するための抗精神病薬が必須となる。よくなってからも薬物治療の継続が必要であり、薬の中断で再発し、再発するたび悪化する。薬をどれだけきちんと続けられるかでその後の人生が変わりうる。

統合失調症の患者が取ることのある特徴的行動

緊張病は、カタトニアとも呼ばれる特殊な精神疾患のひとつで、一般的な用語の「人前で話すのは緊張する」などの緊張とはまったく別物である。統合失調症の患者は、緊張病で見られる次のような特徴的行動を取ることがある。

・しかめっ面をしている。
・手足などの力が抜けずに固まっている。
・行動がおおげさで不自然にわざとらしくなる。たとえば、わざとらしい歩き方をする。
・他人に与えられた姿勢をしばらくそのまま保持する。
・自ら取った奇妙な姿勢のまま固まっている。
・「調子どうですか?」に対して「調子どうですか?」と答えるなど、相手の言うことをオウム返しする。
・相手の取った行動を同じように繰り返す。
・ひたすら足踏みするなど、同じことを繰り返す。

・無言無動の昏迷や、理由のない興奮など精神運動症状を示す。
・好き嫌いとは関係なく、物事を拒絶する。

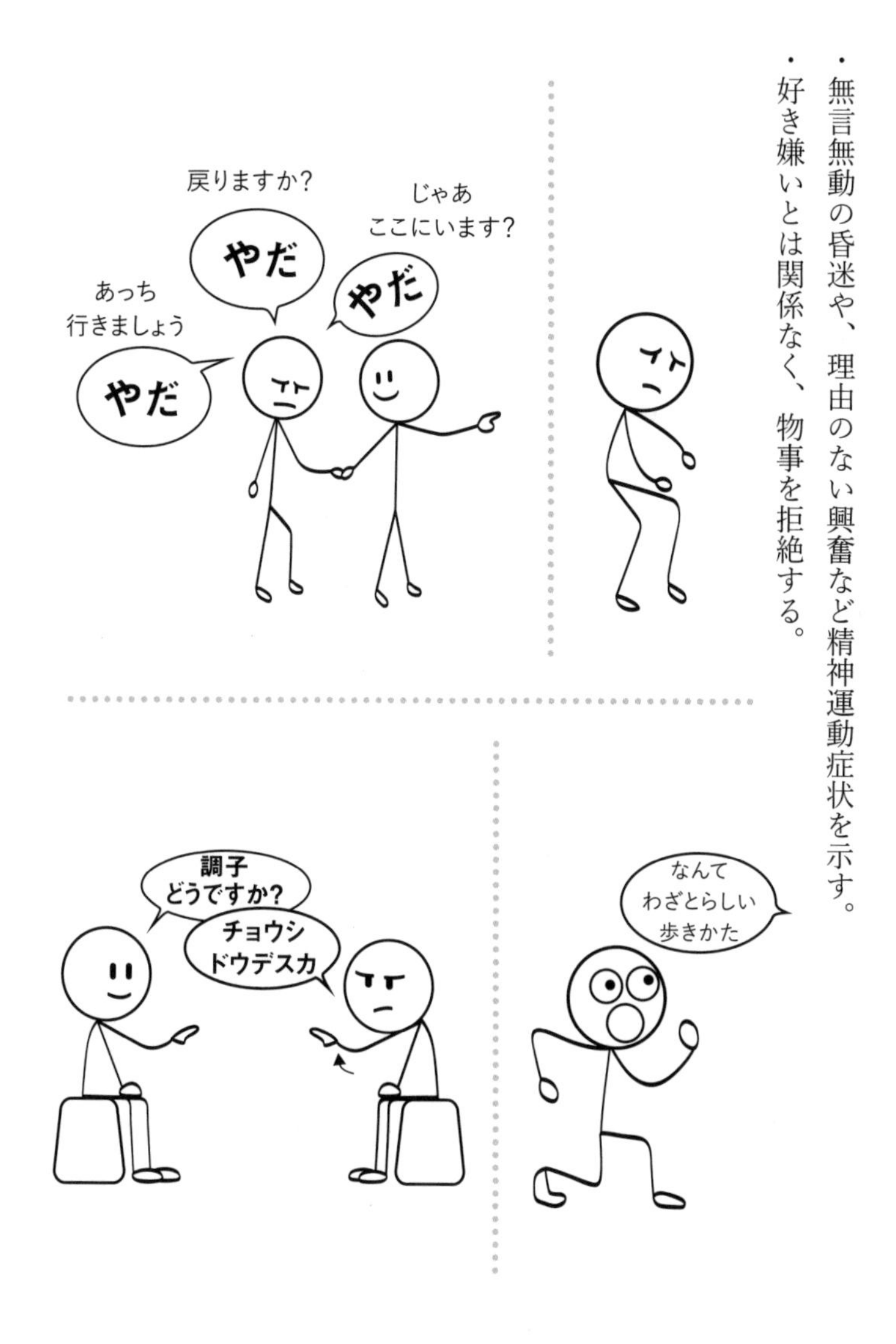

抗精神病薬の副作用が生じている人たち（パーキンソン症候群）

「パーキンソン病」は国の難病に指定される疾患で、脳の異常が原因で、動作緩慢、手足の震え、筋強剛（筋固縮）、姿勢反射障害など体の症状が現れる。そして、パーキンソン病ではなくても同様の症状を示すものはまとめて「パーキンソニズム」または「パーキンソン症候群」と呼ばれている。

パーキンソニズムは精神症状ではないが、精神医療の現場で用いる抗精神病薬によっても生じることがある。精神医学を学ぶ上で知っておかねばならない。

パーキンソニズムの症状とは？

パーキンソニズムでは、「鉛管様または歯車様の筋強剛・固縮」と表現される全身の筋肉のこわばりが見られる。それが強ければ医療者などの他者が患者の腕や足を曲げようとしても、力が抜けずにゆっくりとしか曲がらなかったり抵抗感が感じられたりする。

「振戦」という手や足の震えも典型的な症状だ。

「仮面様顔貌」といって、表情も固まって乏しくなる。

歩く姿勢も特徴的で、前傾姿勢で腕の振りが少なく、ゆっくりと小さな歩幅でしか歩けない。

バランスを保つ反射が弱まる姿勢反射障害により転びやすくなる。歩いているうちに姿勢を保てずトトトトトっと突進してしまう突進現象が生じることもある。

唾液を自然に飲みこむ動きが乏しくなり口の中に唾液がたまり、やがてはよだれが垂れる「流涎（りゅうぜん）」も見られる。ものを飲みこむときに使う筋肉がこわばれば、嚥下障害も起きる。そのためむせやすく、誤嚥性肺炎も起こしやすい。ひどいときには窒息するリスクもある。

いずれにしても、体が思うように動かず、動作が非常に緩慢になる。

薬の影響で生じることのある悪性症候群

統合失調症や双極性障害などで用いられる抗精神病薬の副作用で、ごくまれに悪性症候群が生じることがある。悪性症候群では、筋強剛を主とした症状が見られる。

次に示す大症状から3つ全部か、大症状2つと小症状4つ以上で悪性症候群と診断される。

【大症状】

- 発熱
- 筋強剛
- 血清クレアチンキナーゼ値上昇

【小症状】

- 頻脈
- 血圧の異常
- 頻呼吸

・意識変容
・発汗過多
・白血球増多

筋強剛が起きて筋肉がぎゅーっと収縮することで体は熱を発し、高熱をもたらす。さらに、その状態が続けば体内のアミノ酸バランスが崩れ、それが脳に影響して自律神経を乱し、さらに高熱や多汗、意識障害を引き起こす。

また、筋肉自体が壊れると、血中や尿中のミオグロビン、血清クレアチンキナーゼ値が高くなる。そして、腎障害を起こし、急性腎不全が生じうる。

まれにしか起きるはずはない事態とはいえ、患者の命に関わることから、臨床の現場にいる医療関係者には必須の知識となっている。

さまざまな錐体外路症状

動きが減るパーキンソニズム以外に、動きが増える錐体外路症状もある。

・アカシジア

足がむずむずしてじっとしていられない。座っていられずに歩き回ったりする。

・ジスキネジア

繰り返し持続的に不随意運動（自分の意思と関係なく起きる運動）が生じる。全身や四肢に生じることもあるが、口や舌などの顔面周囲に多い。とくに、口の動きが止まらない状態を「オーラルジスキネジア」と言い、食事をしているわけでもないのに、ピチャピチャ、モグモグと口が動く。

・ジストニア

筋肉が勝手に収縮して、その状態が持続する。たとえば、首や体が突っ張って曲がってしまったまま、同じ姿勢を取り続けたりする。眼球が上を向き続ける「眼球上転」や、体が傾いた状態になる「ピサ症候群」も見られる。

ジスキネジア
動きが
止まらない
モグ
モグ
ピチャ
ピチャ

パーキンソン
症候群
震える
歩きづらい

ジストニア
首が…
体が…
突っ張って
曲がっちゃう

アカシジア
足がむずむずして
じっとして
いられない

きっかけなく突然のパニック発作を
繰り返す人たち（パニック症）

人と接することに緊張しすぎて
困っている人たち（社交不安症）

気になってせずには
いられない人たち（強迫症）

強い過去のストレスを
抱えている人たち（ストレス関連障害）

精神疾患には「不安症（anxiety disorder）」というカテゴリーがあり、不安で不安で仕方なくなる障害として扱われ、突然のパニック発作を起こす「パニック症」、人と接することに極度の緊張を伴う「社交不安症」などがある。近いカテゴリーとして、手を洗うなどの行動を取らずにいられない「強迫症」、強いトラウマに苦しむ「心的外傷後ストレス障害」などが存在する。

きっかけなく突然のパニック発作を繰り返す人たち

（パニック症）

英語名「panic disorder」。パニック障害とも呼ばれ、パニック発作（panic attack）を繰り返す病気である。

パニック症のパニック発作は、きっかけなく起きるため、いつどこで発作に襲われるかわからない予期不安に苛まれ、外出などの当たり前の日常生活ができなくなる。人混みなどを恐れる広場恐怖を伴うことも多い。

成人の場合、何かの脅威にさらされたり人間関係や健康問題の不安を抱えたりすることが、小児の場合、虐待や離別といった経験が、病気の引き金になると言われている。しかしこの病気は、心因性というよりも脳の機能異常が原因だと考えるべきで、大脳辺縁系とくに扁桃体の機能異常が存在すると言われている。実際に、パニック症の患者に二酸化炭素を多く含む空気を吸わせたり、多量のカフェインを摂取させたりすると高率にパニック発作を起こすという。二酸化炭素やカフェインを感知する脳の部分が過敏になっているのだ。

パニック発作とはどんなもの？

パニック症の人が苦しめられるパニック発作とは、いわゆる「パニクる」という言葉で表現されるような、混乱した状態とはまったく異なる。

精神医学的には、強い不安の高まりとともに、次の13の症状のうち4つ以上が確認されたときにパニック発作と定義される。

1 息苦しさや息切れ
2 喉が詰まったような窒息感
3 心臓の症状（動悸、心悸亢進（しんきこうしん）、心拍数増加）
4 胸部の症状（胸の痛みや不快感）
5 腹部の症状（吐き気や不快感）
6 発汗（冷や汗や脂汗）
7 身震いや振戦
8 めまい、ふらつき、気が遠くなる（頭が軽くなる）感じ

9 体がかっと火照ったり、ぞっと寒気を感じたりする
10 感覚の麻痺や、うずきなどの異常感覚
11 現実感消失や離人感（幽体離脱したような感覚）
12 自分がコントロールできず、どうにかなってしまいそうな恐怖
13 死への恐怖（このまま死んでしまうのではないかと感じる）

とくに多く現れるのが、呼吸困難感、動悸、死への恐怖である。体の病気ではないかと思って救急車を呼ぶこともある。そして、こうした発作を恐れる余り、「また発作が出たらどうしよう」という予期不安で苦手な状況を避けるようになる。しかし、避けようとすればするほど不安が強くなる。

パニック症に対して使われる薬はＳＳＲＩ（抗うつ薬）と抗不安薬である。カウンセリングでは認知行動療法が行われる。

それがパニック発作であるならば、発作が起きたときすべきことはあまりない。終わるのを待つだけだ。実際に、突然に始まったパニック発作の症状は数分でピークを迎え、多くが20～30分、長くとも1時間以内に軽快する。

なお、こうしたパニック発作自体は、パニック症でなくとも起こりうる。たとえば、社交

不安がある人が人前でスピーチをしなければならなかったり、蜘蛛を恐い人の前に蜘蛛がすーっと降りてきたりすれば、パニック発作を起こしてもおかしくない。そのため、全人口の４％前後にあたる人が、一生のうちにパニック発作を経験すると言われている。

息苦しさ、息切れ

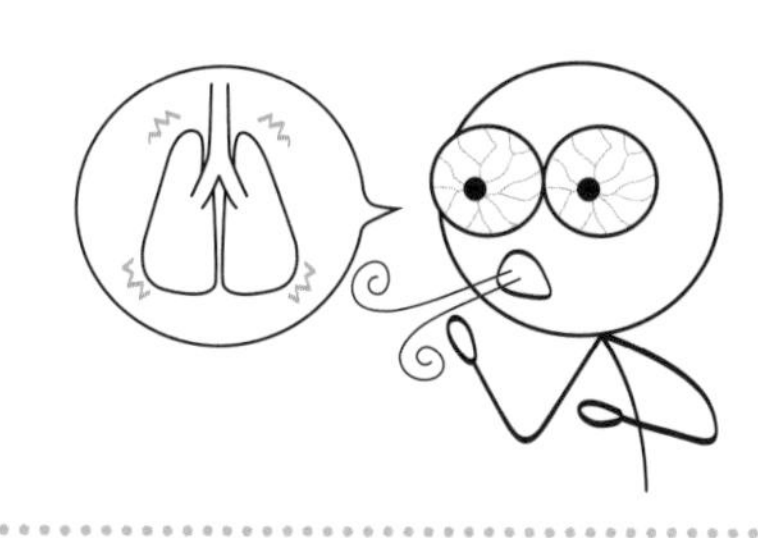

心臓の症状

動悸、心悸亢進、
心拍数増加

死への恐怖

パニック症の人にも生じる広場恐怖症

「広場恐怖症」はパニック症との併存が多い。医学的には、次の5つの状況のうち、2つ以上について不安で仕方ないと感じる場合、広場恐怖症と診断される。

1　**すぐに逃げ出せない閉鎖空間**
映画館、美容院、MRI検査など。

2　**人混みや人の列**
おまつりや新商品の発売の行列などの人が多い場では、すぐにそこから抜け出せない。

3　**公共交通機関**
駅や停留所など決められた場所でしか降りることができない。

4　**だだっ広い場所**

広すぎるため何かあっても助け出してもらえない。あるいは、広くて出るのに時間がかかる。

5　単独での外出

自分に何かあってもすぐに助けを求められない。

これらの要素を見てもわかる通り、広場恐怖症という名称はあまり適切ではない。広場恐怖症は、英語では「アゴラフォビア」と呼ばれる。アゴラは市場の意味であり、人混みこそがその本質であり、そういう場所で恐怖感に苛まれるのが広場恐怖症だ。

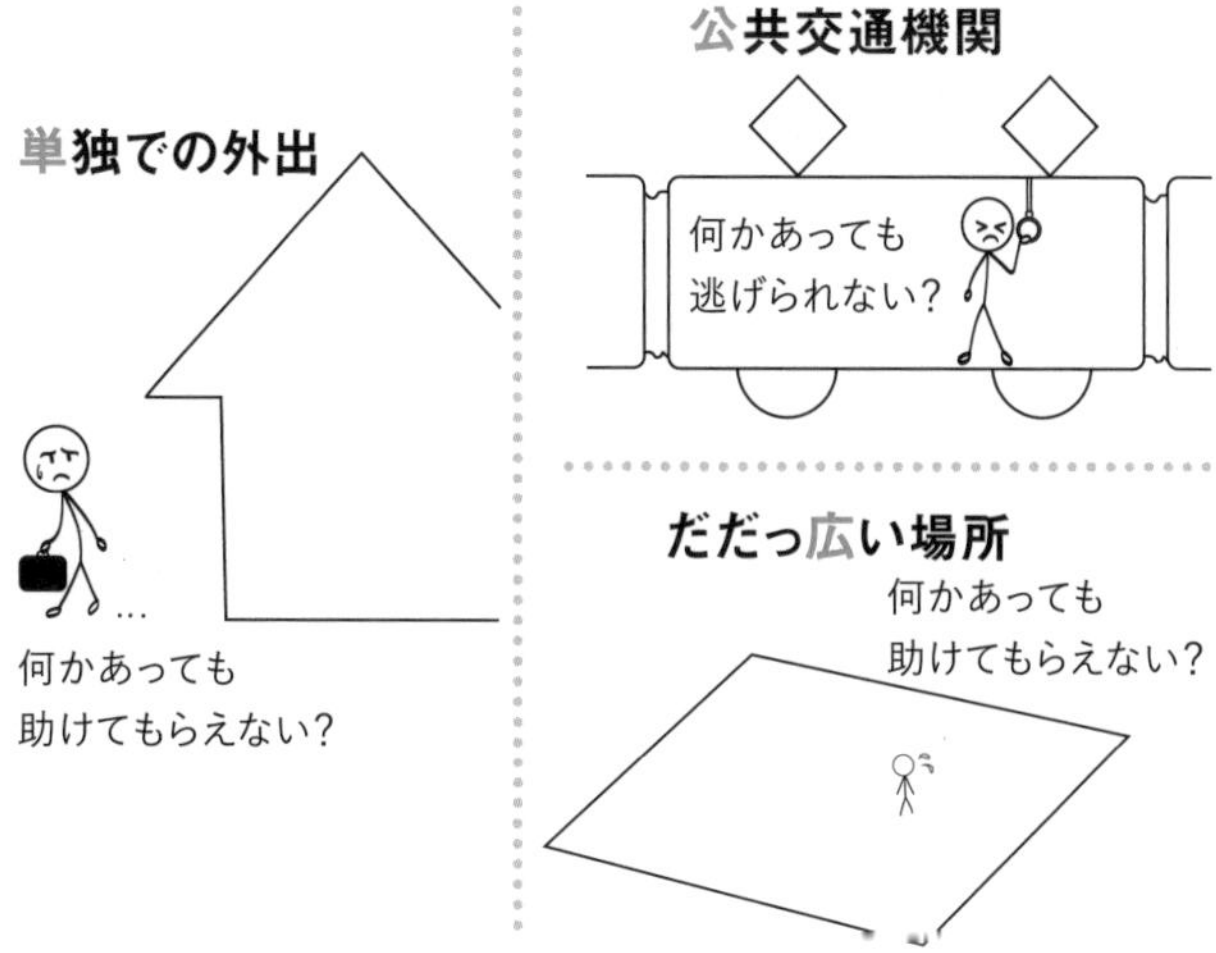

人と接することに緊張しすぎて困っている人たち

（社交不安症）

英語名「social anxiety disorder」。社交不安障害、社会恐怖症、対人恐怖症などとも言われ、人と接するさまざまな場面で必要以上に緊張しすぎてしまい、それが赤面、多汗といった身体症状として現れる疾患である。そのため、対人場面を避ける傾向があり、社会生活に不都合をもたらす。

生物としての危険を察知する脳の扁桃体が暴走し、自律神経に異常をきたすのが原因である。主に、セロトニンという神経伝達物質が関与している。

多くは小児期、思春期に発症し、慢性的な経過を辿る。遺伝的要素が存在し、血縁者に患者がいると、発症率は4～5倍に上がる。

アメリカでは有病率10％ほどと報告されているのに対し、日本では約3％となっている。しかし、それぞれの国民気質を考えれば日本の数字は少なすぎであり、もっと多くの患者がいると思われる。

こんな場面でやたらと緊張する

社交不安症は、パニック症などほかの不安症の併発が多い。とくに、対人場面での緊張がパニック発作を引き起こしかねない。パニック発作は生物学的生命の危機を感じるのに対し、社交不安症は社会的生命の危機を感じる点で類似していると言える。

人によって苦手な状況は異なるが、具体的には、次のような場面で緊張しすぎる傾向にある。

・**スピーチをする**

最も代表的なもの。社交不安症の人にとって超がつく恐怖である。

・**雑談をする**

ちょっとした雑談ですら、緊張してしまう。

・**よく知らない人と会う**

営業や接客の仕事などは非常に難しい。

・**人に話しかける**

自分から話しかけるにはとても大きな勇気がいる。

・**飲食しているところを見られる**

人と一緒にご飯を食べるのが苦手である。

・**字を書くのを見られる**

役所の窓口などで字を書くときに手が震えてしまう「書痙」という症状が出る人もいる。人前でのスマホ操作で緊張する人もいるだろう。

・**人前で電話をかける**

誰かが聞いていると思うとひどく緊張する。

・**周りに人がいると用を足せない**

会社のトイレなどで個室外に人がいるだけで、小便も大便もできない。

このように緊張しすぎてしまう背景には、さまざまなことを恐れる気持ちがある。

対人場面での体の反応

注目されると緊張して赤面したり汗をかいたり

「注目されてしまうのではないか」

「汗をかいたり、赤面したり、言葉に詰まったりしないか」

「恥をかいてしまわないか」

「批判されたり、馬鹿にされたりするのではないか」

「人に迷惑をかけたり、不快感を持たれたりするのではないか」

と、周囲の人たちは何も気にしていないのに自意識過剰となり、対人場面で、赤面、顔面蒼白、発汗、手の震え、体のこわばり、動悸など体に反応が出てしまう。


そのことでよけいに緊張し、自己評価も下がり、対人場面を回避するようになる。

ＳＳＲＩ（抗うつ薬）や、対人場面に慣らす認知行動療法で治療される。

さまざまな不安症

・**全般不安症／全般性不安障害**（generalized anxiety disorder）

なんでもかんでも、いつも不安で仕方ない状態が続く。

・**限局性恐怖症**（specific phobia）

いわゆる「○○恐怖症」と呼ばれるもの。恐怖の対象は人それぞれだが、動物（虫や犬など）、自然環境（高所、雷、水など）、状況（閉所、エレベータなど）といった何か特定のものに強い恐怖感を抱く。

・**選択的緘黙**（selective mutism）

ある一定の状況になるといつも喋れなくなる。小児に多く生じるが、ときに大人でも見られる。

・**分離不安症／分離不安障害**（separation anxiety disorder）

親などの保護者から離れることに過剰な不安感を抱く。保護者との関係について、以下の感情のうち3つ以上が見られると分離不安症と診断される。

1　(保護者から)離れるのは不安で嫌だ
2　(保護者が)どこかへ行っちゃったらどうしよう
3　(自分が)連れて行かれちゃったらどうしよう
4　不安だから出かけるのは嫌
5　1人でいるのも嫌
6　1人で寝るのも嫌
7　怖い夢を見てしまう
8　不安で頭やお腹が痛い、吐きそう

気になってせずにはいられない人たち（強迫症）

英語名「obsessive compulsive disorder」。強迫性障害、強迫神経症などとも言われ、あることが気になりすぎて、ある行動をわかってはいてもやめられない疾患である。

わかっていてもどうしても気になる「強迫観念」、わかっていてもせずにはいられない「強迫行為」の2つが生じる。

強迫症の対象となる分野には「汚染／洗浄」「保存」「対称性／整頓」「禁断的思考／確認」があるが、代表的なものに、手などが不潔でないか気になって洗わずにいられない「洗浄強迫」と、火元や鍵かけを忘れていないか気になって確認せずにいられない「確認強迫」がある。

強迫症の患者のうち、多くはその不合理性を自覚し本当はその行為をやらなくても大丈夫と頭ではわかっているところが妄想とは異なる。

こんなことが気になって仕方ない

強迫症の人を苦しめている症状は人それぞれだが、具体的に紹介すると、主に以下のようなものがある。

・自分にバイ菌や有害物質がついていないか気になって仕方ない人もいれば、自分の汚れが周囲に広がっていかないか気になって仕方ない人もいる。そのため、長時間にわたって頻繁に手洗い、入浴、消毒をしまくったり、あるいは、汚れが広がらないよう家の中を区切り、極めて限られた狭い空間で過ごしたりする。
・「いつか使うことになるかも知れない」と考え、ものを捨てられない。明らかに不必要なものも捨てられずに溜め込んでしまう。
・ものをまっすぐにならべないと気が済まない、左右対称でないと気が済まない、順番通りじゃないと気が済まないなど、不合理なルールで自分や周りの人を縛る。
・不吉だとされる特定の数を避けたり、自分の好む特定の数にこだわったりする。
・ある道順を通ることや、ある手順を踏むことなど、一定の規則や儀式に縛られる。

・悪い思考や性的な思考が生まれると、とてもいけないことのように感じ、それを考えないように頑張ったり、逆にきれいな言葉を唱えたりする。
・人に危害を加えていないかを恐れる。間違って殴ってしまわないか、女性を触ってしまわないか、ホームから突き落としてしまわないか、車ではねてしまわないかなど、非現実的なほどに恐れる。気づかないうちにそうしたことが起きたのではないかと心配する。
・鍵をかけ忘れていないか心配になって何度も確認せずにいられない。外出前に確認に長い時間をかけたり、出かけてから戻って確認したりする。
・ガスの元栓が閉まっているか、電気器具の漏電がないかなど、火の元やコンセントを何度でも確認せずにいられない。
・大事なものを捨ててしまってはいないか心配になり、ゴミ箱の中を確認する。

治療には、選択的セロトニン再取り込み阻害薬（ＳＳＲＩ）などの向精神薬や、認知行動療法のひとつである「暴露反応妨害法」を用いる。

ここでは手を洗わずにはいられない洗浄強迫を例に挙げよう。汚れに不安を抱いては洗って安心する「洗えば安心」は、裏を返せば「洗わなければ不安」をもたらすこととなり、強迫症は悪化していく。

そこで、「汚れている不安」をそのまま洗わず待つことで、時間とともに不安が減る経験を繰り返して慣らし、洗わずにいられるようにするのが暴露反応妨害法だ。

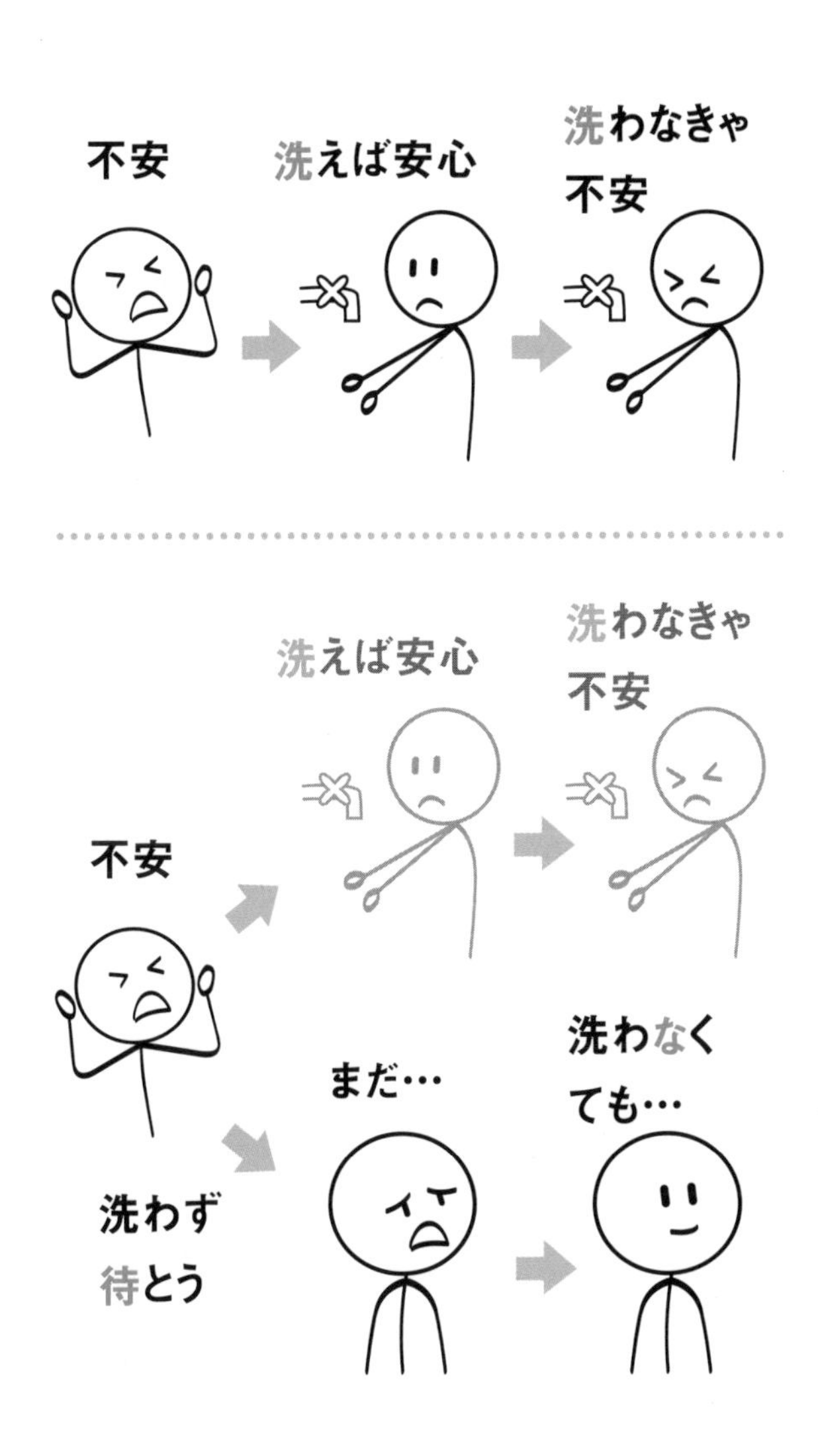

強い過去のストレスを抱えている人たち
（ストレス関連障害）

何らかの物事がストレスとなり不調に陥る「適応障害」、身に危険が及ぶような非常に強いストレスの後に生じる「急性ストレス障害」と「心的外傷後ストレス障害」が含まれる。

なかでも深刻な心的外傷後ストレス障害は、ＰＴＳＤ（posttraumatic stress disorder）と呼ばれ、危うく死にかけたり、大怪我を負いそうになったり、性暴力にあったり、あるいはそうした状況を目撃したりしたことがトラウマとなって、長期にわたりさまざまな障害を負うものだ。

戦争、身体的暴力やその脅威（虐待含む）、性的暴力やその脅威（虐待含む）、誘拐、人質、捕虜、テロ、拷問、天災、人災、自動車事故などによって引き起こされうる。男性では戦闘が、女性では性暴力が、ＰＴＳＤの発生理由として目立っている。

さまざまなストレス関連障害

ストレス関連障害のなかでも、適応障害（adjustment disorder）については、新しい環境になじめないなどの理由で陥ることが多く、比較的よく目にするのではないだろうか。ストレスによって、うつ、不安、素行障害など、情緒面や行動面に何らかの症状が出現し、それが気分障害や不安障害などほかの精神障害に該当しないときに、適応障害と診断される。

一方、身に危険が及ぶような強いストレスを受けたことによるさまざまな不調は、最初は急性ストレス障害（acute stress disorder）として扱われる。原則として、この段階での薬物治療は行われない。

そして、重大なトラウマとなる出来事から1か月を過ぎてなお、症状が続くとPTSDと診断される。その半数は2〜3か月で回復するものの、3分の1は持続する。

さらに、PTSDの人は、アルコールや薬物などに依存する物質使用障害になる頻度が一般の2〜3倍と高くなる。

ＰＴＳＤを抱える人たちはこんなことに苦しむ

ＰＴＳＤでは、主に次のような症状に苦しめられる。

・反復的、侵襲的な想起

つらかった出来事が、強烈に思い起こされ、しばしば過去に起きたその物事が今、起きているように体験される。いわゆるフラッシュバックである。悪夢が続く人もいる。

・回避行動

トラウマになった出来事に関する事柄を回避するようになる。「その話はしないで」「あの場所には行きたくない」「その車には乗りたくない」「あの人に似ているから会いたくない」など、嫌なことを想起する物や人や場所を避けて生活する。

・否定的認知

認知と感情が否定的になり、「また同じ目に遭うのではないか」「私はずっと危険なのではないか」などと感じたり、友人も家族も誰も信じられなくなったりする。また、被害者であるにもかかわらず、「自分が悪かったのだ」と思い込んでしまうこともある。

・過覚醒・興奮
怒りが周囲に向かうイライラや易怒性、自分に向かう自己破壊、強い警戒心や驚愕反応といったアラームの異常、集中困難や不眠などが生じる。

支援を押しつけない

トラウマに苦しむ人への対応として、大事なのは支援を押しつけないことだ。周囲には次のような認識が求められる。

・「本人の問題で生じたのではなく、誰にでも起きうるものだ」と伝える必要がある。たとえば、警察官や消防士は弱い人間ではないが、トラウマで苦しむことは珍しくない。
・話せる相手がいたら話をすることは有意義だ。しかし、「誰でもいいから話しなさい」ではない。無理に話をさせず、「話す気になったらいつでも聞くよ」と言葉のキャッチャーミットを構えているくらいの姿勢が理想だ。
・気分転換で済むレベルのことではない。本人が気分転換を望むならいいが、周囲から「気分転換しましょう」と言うのには慎重でなくてはならない。
・「忘れましょう」で済む問題ではない。本人は忘れることはできない。その物事も抱えたままでも適切に生きていく支援を行う必要がある。
・話を聞きながら価値判断を押しつけてはならない。「そんなふうに思ってはダメだよ」「命が助かっただけでも良かったじゃないか」などと言うべきではない。

インフラも壊滅しているような大規模な被災地で、「カウンセラーお断り」の紙が貼られた避難所が話題になったことがある。助けを必要としているはずなのにそれを拒むのは、支援を押しつけて、傷ついている人たちの心に土足で踏み込むケースが見られたからだ。押しつけを避け、当事者の気持ちを理解し、そのまま受け止めることが望まれる。

なお、被災地に向かう人が知っておくべき心理的支援のマニュアルとして、PFA（サイコロジカル・ファーストエイド）がある。

PTSDの薬物治療には、主にSSRIが用いられる。

心理療法では、認知行動療法のほか、眼球を動かしながら当時のことを思い起こす「眼球運動による脱感作と再処理法（EMDR）」や、当時のことを話させ録音し、繰り返し聞きたがら慣らしていく「長時間暴露療法」などさまざまな専門的治療が行われている。

異常がないのに体のことにとらわれ続ける人たち
（身体症状症）

病気が不安で不安でしょうがない人たち
（病気不安症）

心の影響で体が悪くなってしまった人たち
（心身症）

ストレスが身体症状として出現している人たち
（変換症）

本当は病気じゃないのに病気と主張する人たち
（作為症・詐病）

精神疾患のなかには、医学的原因が明確でない身体症状を強く訴えるものがある。

いわゆる「不定愁訴」のように、医療者側は「とくに原因となるような問題はありませんよ」と伝えるしかなくとも、患者はその症状が気になって仕方ない。

結果的にドクターショッピングに及ぶようなケースも多い。

異常がないのに体のことにとらわれ続ける人たち（身体症状症）

英語名「somatic symptom disorder」。どこにも異常はないものの、何らかの身体症状があり、それにとらわれ続けたり、過度に訴え続けたりする。

かつては、「心気症」「心気神経症」と呼ばれた。

身体症状症では、身体的変化に意識を向けることで、よりその症状が増幅されうる。身体に意識が向けば、さらに症状が増幅され、そしてさらに……という悪循環に陥る。

身体症状のなかでも、とくに疼痛を訴えるものは、かつては疼痛性障害と、最近では「慢性疼痛」と呼ばれ、疼痛でありながら抗うつ薬などが効きうる。

身体症状症全般には医療者の共感など心理的な要素や、適切な抗うつ薬投与などが試みられる。

患者本人は「痛みがあるから外出できない」などと、身体症状を理由に活動を控えがちになるが、それがまた身体症状ばかりに意識を向ける結果を招く。

そこで、症状を消そうとするのではなく、症状を抱えながらもより良い生活を送ることを目指す「創造的絶望」を目指すこととなる。

　医療者は、どこも悪くないのに症状を訴えてくる患者に対し否定的・拒絶的になりがちだが、それによって信頼が構築できなくなれば、身体症状症は悪化する可能性もある。むしろ、いくら検査しても不調の原因がわからず治療が受けられないことに対する本人の不満や怒りへの共感が救いになるだろう。

異常がない、または　些細な異常しかないのに

身体のことにとらわれ続けるもの

病気が不安で不安でしょうがない人たち（病気不安症）

英語名「illness anxiety disorder」。「病気になったらどうしよう」と必要以上に恐れる。

病気が不安で仕方ないというところは共通しているが、病気が見つかったら怖いからと病院や検査を避けるタイプと、「心配なんで今日も検査をしてください」などとやたらに医療機関を訪れるタイプがある。

SSRIなどの抗うつ薬が試みられる。

心の影響で体が悪くなってしまった人たち（心身症）

心身症は、身体疾患でありながら、心の影響を受けることで発症し悪化するものを言う。

代表的な疾患として次のようなものがある。

- ぜんそく
- じんましん
- 胃潰瘍
- 頭痛
- 過敏性腸症候群
- 口内炎
- メニエール症候群
- 円形脱毛症

ストレスが身体症状として出現している人たち（変換症）

英語名「conversion disorder」。ストレスに伴い身体症状が出現するもので、転換性障害とも呼ばれる。

たとえば、家庭の問題や仕事で強いストレスを抱えたときに、失立（立てない）、失歩（歩けない）、失声（声が出ない）、視覚障害（目が見えない）、聴覚障害（耳が聞こえない）などの多彩な症状が出うる。

こうした身体症状が出ていれば、そちらに意識が行って大元のストレスについては目を背けることができる。本人は「立てないから仕事に行けないや」と思っているが、それによってストレスの原因となる仕事を避けているのかも知れない。このように、その症状の存在が、本人にとって利益をもたらす「疾病利得」が生じていることがある。

医師が変換症の診断を下すポイントとして、教科書的には「満ち足りた無関心」が挙げられる。その症状について本人が悩んでいる様子がないというものだが、実際の臨床現場では、積極的につらい症状を訴えてくるケースも少なくなく判断が難しい。

変換症が原因で、てんかんを思わせるけいれんを起こすこともあり、これは心因性非てんかん性発作（ＰＮＥＳ）と言う。

喉に何かが詰まったように感じる「ヒステリー球」と呼ばれる症状や、「後弓反張」という体が突っ張る症状も見られることもある。

ストレスに伴い
身体症状が出現

失立、失歩、失声、
視覚障害、聴覚障害、けいれん　などさまざま

本当は病気じゃないのに病気と主張する人たち

（作為症・詐病）

英語名「factitious disorder」。虚偽性障害とも言われる。

本当はどこも悪くないのに、さまざまな症状を訴えて「病気である」と主張しているとき、それが無意識のものであれば104ページに前述した変換症が考えられる。

一方で、本当は病気じゃないと自分で知っているのに嘘の主張を行っていれば、作為症か詐病が疑われる。

この2つは目的が違う。

作為症は周囲の関心を集めるために病気や怪我をねつ造するもので、ミュンヒハウゼン症候群とも呼ばれる。子どもなど自分以外を偽の病気に仕立て上げれば、代理ミュンヒハウゼン症候群（他者に負わせる作為症）となる。

一方、詐病は、お金や薬を得たり、税金などの義務を避けることが目的で、いわゆる仮病を使うものだ。いずれも、薬物治療の対象ではない。

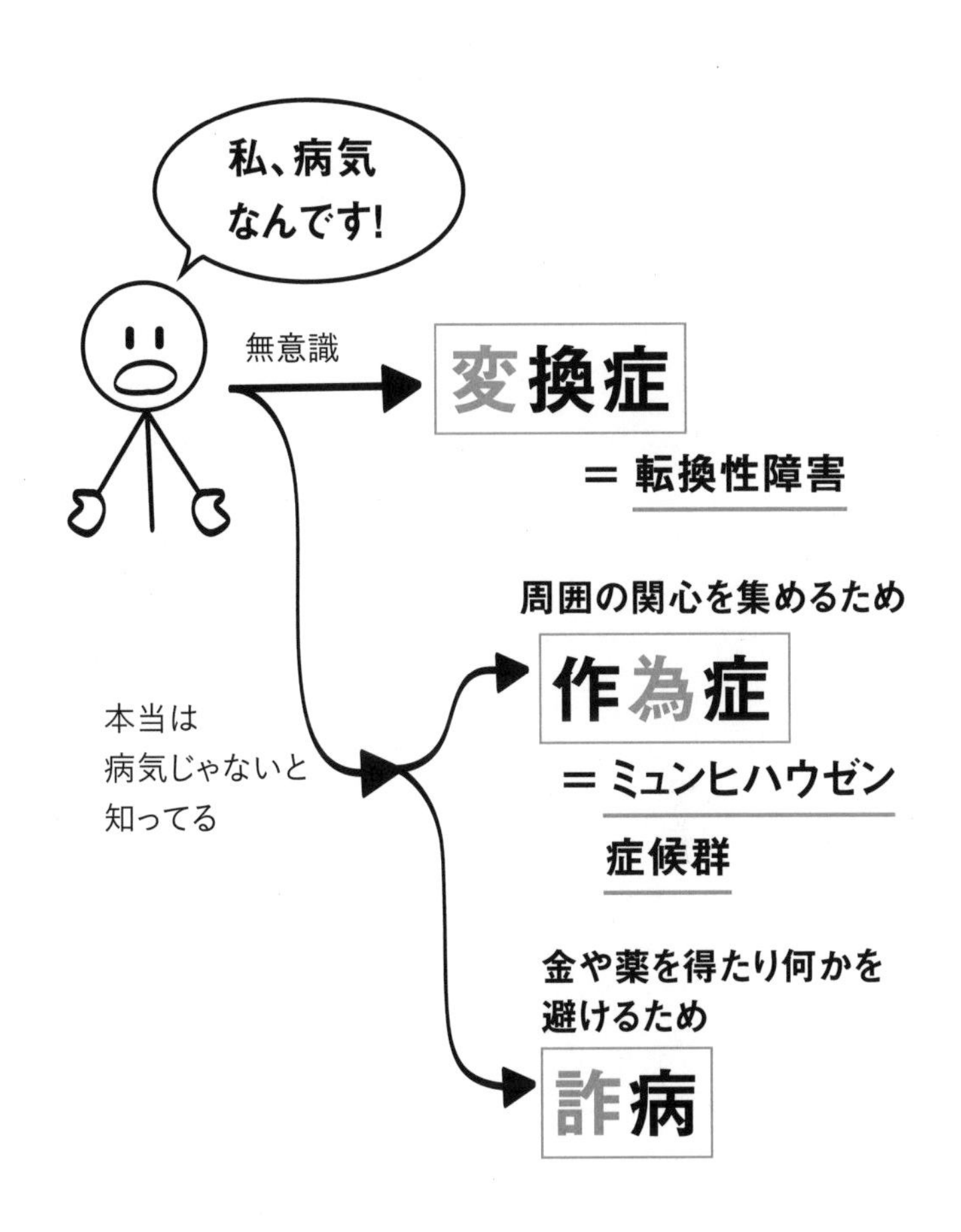
私、病気
なんです！
無意識
変換症
＝転換性障害
周囲の関心を集めるため
作為症
＝ミュンヒハウゼン
症候群
本当は
病気じゃないと
知ってる
金や薬を得たり何かを
避けるため
詐病

多重人格や記憶障害が
生じている人たち（解離症）

ストレスが身体症状として出現している
人たち（変換症／詳細は104ページ）

104ページで述べた「変換症」と、ここで扱う「解離症」の2つを、かつて「ヒステリー」というカテゴリーに括っていた時代があった。それら症状がとくに女性に多いことから、子宮に原因があるのではないかと考えられていたのがその語源だ。変換症と解離症は別物であるが、どちらも強いストレスに対し異常な防御機能が働いてしまっている状態だ。

多重人格や記憶障害が生じている人たち（解離症）

英語名「dissociative disorder」。解離症には「解離性同一症」「解離性健忘」「離人症／現実感消失症」の3つがある。

解離性同一症は、いわゆる多重人格と考えて良い。主人格をストレスから守るために、別人格が現れ、そのときどきの状況に合わせてたびたび交代する。

解離性健忘は、ストレスの原因となる物事の記憶を失うことで自らを守ろうとするものだ。いわゆる記憶喪失である。自分が誰なのか、なぜそこにいるのかについて、すべてを忘れてしまうケースもある。

離人症は、現実感を失うことでストレスを乗り切ろうとすることから起きる。自分が自分ではないような感覚や、ガラス一枚隔てたような感覚などがありうる。

いずれも「離隔（現実から離れていく）」と「区画化（一つの脳のはずなのに必要な記憶や人格を切り分けてしまう）」が起きているのがポイントである。

解離性同一症の人たちに起きていること・困っていること

解離性同一症（dissociative identity disorder）は、強いストレスを受けているときに、ある人格が「私が耐える」と登場し、ある人格が「私がなんとかする」と登場するなど、主人格に代わってストレスを引き受けるために生じる。

主に次のような別人格が現れやすい。

- **退行した人格**

  子どものような言動をする。

- **うまく対処する人格**

  主人格の代わりに物事に取り組む。

- **攻撃的な人格**

  ときに破壊的な方法を使う。

- **ただ耐える人格**

  主人格の代わりにストレスを耐える。自傷行為に注意が必要。

このような、いろいろな人格が現れることには、それなりの意味があり、その存在を周囲が否定すべきものではない。いわば、一つの「人格システム」として捉えるように関わる。

各人格は、病気の症状として現れているものの本人の一部でもある。最終的にはバラバラになっている人格の統合が得られるのが理想だが、最初からそれを目指してはいけない。いたずらに統合を目指せば、患者の人格交代を否定するメッセージになりかねない。解離性同一症では、別人格の存在から幻聴や被注察感（誰かに見られている感じ）などを訴えることもあり、統合失調症との区別が難しいことも多い。

もし「人格交代は演技だろう」という対応をすれば、別人格はその人に対し「この人に話をしてもムダだ」とばかり出てくるのをやめたり、主人格のふりをしたりするだけで治療にはならない。

解離性同一症は、本質的にはトラウマがその背景にあるが、トラウマから治療することはしばしば困難であり、まずは、トラウマそのものの治療よりも、人格交代を減らすことよりも、生活などの安定を目指すべきである。

そこでは、別人格の登場を遮ることなく理解に努める必要があるが、「あなたは何歳なの？」「趣味は？」など、別人格の詳細について質問することは避けたほうがいい。本人が語っていないことについてあれこれ聞くことは、別人格をより強固に形成することにつながるからだ。

なお、主人格と話しているときでも、「別人格さんにも聞いてほしいんです」と、別人格が聞いていると考えてメッセージを送ることが推奨される。

本人の中でたくさんの人格がどうコミュニケーションを取っているのかを把握し、想像上の広場での話し合いやノートを用いた申し送りなどの情報共有を提案するのは有効である。また、それによって、長期的には人格の統一が得られるかも知れない。

別人格の存在は、症状である一方で、患者を応援する存在でもあり、その意義を認めて働きかけることが望まれる。ただし、自傷を図る人格には、その人格の存在意義は認めつつ、自傷は認めないという態度が必須である。

解離性健忘の人たちに起きていること・困っていること

解離性健忘（dissociative amnesia）は、ストレスの原因となる物事について忘れることで対処することで生じる。それまでのすべてのことを忘れる全生活史健忘も、一部の記憶が失われるパターンもある。

解離性健忘に「遁走（とんそう）」が加わると、すべてを忘れたままどこかへ行ってしまう。自分は誰なのか、どこに住んでいたか、家族はいるのかといったことについて、何もわからないまま知らない土地で保護され、そのまま別の人生を送っている人もいる。

治療には精神療法が用いられる。長期間の解離性健忘の患者が記憶を回復するときは、とても苦しいことを思い出すことにもなり、強いストレスがかかる。それを理解した上で、患者が何か語るときには共感的に接し、何も語らなくても強いストレスが存在することを想定しながら対応していく必要がある。

離人症の人たちに起きていること・困っていること

離人症／現実感消失症は、強いストレスがかかったときに、現実感を失うことでそれを乗り切ろうとして生じていると解釈される。

離人症には、外界のいきいきとした実在感が希薄になる「外界意識離人症」、自己の体験や行動の能動感が消失する「内界意識離人症」、身体の自己所属感が失われる「身体意識離人症」がある。

要するに、今の自分を取り囲んでいる人々や状況がまったく別世界のことのように遠く感じられたり、自分がやっていることも自分ではない人がやったかのように感じられたり、自分の体が自分のものではないように感じられる。

他の解離症と同様、治療には薬物は用いない。原因となっているストレスの内容を明らかにし、対処法を検討していく。

体重や食事のことが気になって
食べずにやせ続ける人たち（神経性やせ症）

摂食障害には、神経性過食症、むちゃ食い障害などもあるが、医療で扱うことが最も多いのは神経性やせ症である。神経性やせ症は、拒食症、神経性食欲不振症、神経性無食欲症とも言われる。しかし、実際には「食欲不振」「無食欲」なのではなく、食への関心は強いのに、それ以上に食べることが怖いというのが一般的だ。

医療現場では英語名の「anorexia nervosa」から「アノレキ」と呼ばれることが多い。

体重や食事のことが気になって食べずにやせ続ける人たち
（神経性やせ症）

神経性やせ症は、自分の外見を意識するようになる思春期から青年期の発症が一般的だ。ダイエットが発症のきっかけになることが多く、女性は男性の10倍に上る。

フィギュアスケートや新体操の選手、バレエダンサー、長距離ランナーなど、やせていることが有利に働くスポーツ選手に多いと言われている。

大人の女性になる過程で胸が膨らむことなどを拒む「成熟拒否」が影響して神経性やせ症になるケースもある。勉強の成績や友人関係などはうまくいかなくても、食べなければ体重が減る。その「コントロールできる」達成感からはまるケースもある。

神経性やせ症の人たちに起きていること・困っていること

DSM-5では、以下の3つの要素が満たされると神経性やせ症と診断される。

1　**低体重**

WHOではBMI18・5未満がやせすぎと定義されている。BMIは「体重（kg）÷身長（m）÷身長（m）」で計算される。

2　**体重の拒絶**

拒食、肥満恐怖、やせ願望。

3　**認知のゆがみ**

身体像障害、やせの深刻さの否認、自己評価が体重・体型に左右される。

肥満を恐れ、やせを望むこと自体は病気でなくても普通なことだ。

ダイエットの経験自体は多くの人が持っており、頑張って体重がある程度落ちれば、そこで満足するのが一般的だ。その体重を維持できる人もリバウンドしてしまう人もいるが、ほどほどで止めることができる。

　ところが、神経性やせ症の場合、ある程度のところまで体重が落ちた時点で、「もっとやせなければ」というスイッチが入り止まらなくなってしまうのだ。

「もっとやせたい」「やせることこそがいいことだ」という考えにとらわれ、少しでも体重が増えると「このままブクブク太るのでは」と恐れ、1日に何回も体重測定しては一喜一憂することを繰り返す。この、体重減少と肥満恐怖の悪循環により、ガリガリになって身動きが取れないレベルになる人、さらには命を落とす人もいる。

　周囲から見れば明らかに異常だが、本人は身体像（ボディイメージ）が障害されており、自分がやせすぎていることに対して認識が薄く、深刻には思っていない。

　あるいは、むしろ太っているに違いないと思ってしまうケースもある。実際に、ガリガリにやせた患者が自分のことを、「お相撲さんみたい」と訴えたケースは印象深い。

異常な食行動を取っている

神経性やせ症の人には、次のような食行動の異常がよく見られる。

・食べる量が圧倒的に少ない。
・食べ物のカロリー表記をいちいち気にする。
・偏った食事内容になる（脂肪や糖質を極端に避けたり、野菜やタンパク質ばかり摂ったりするなど）。
・調理方法や盛り付けに口出しする（心配した家族が栄養のあるものを食べさせようとしても、それを拒んであれこれ文句を言う）。

食べる量

カロリー表記

偏った食事

サラダOK
タンパク質OK

OIL

油は嫌
肉の脂身もダメ
炭水化物もダメ
甘いもの食べない

・異常な食べ方をする（細かく刻んだり、噛む回数が多かったり、やたらと時間がかかったり、食べる順番にこだわったり、奇妙な味付けをしたりする）。

神経性やせ症の人は、食欲がないわけではなく、むしろ食べ物への思考にとらわれているのが一般的だ。YouTubeなどで大食いの動画を視聴したり、家族にやたら食べることを勧めたりするケースもある。応援するプロ野球選手のホームランをテレビで見てすっきりするように、食べられずにいる自分の代わりに誰かが食べるのを見て満足しているものと思われる。

あるいは、食べ物を口に入れて、噛んでから吐き出す人もいる。本当は食べたいが、飲みこむのは怖いのだ。

さらに、過食に走るパターンもある。過食しては吐いてしまう自己誘発性嘔吐や、下剤を乱用して慢性的に下痢になっている人もいる。このようなタイプの摂食障害を「過食・排出型」と呼ぶ。

調理法に口出し

異常な食べ方

食べ物に関する思考にとらわれている

また、神経性やせ症の約半数に、「過活動」が生じ、やせ細って体力も落ちていても運動せずにいられない人もいる。もっとやせたいという思いがそうさせることも少なくない。しかし、それだけではない。飢餓状態の馬や豚、ネズミなどでも同様の現象が確認されており、やせ願望だけでは説明できない。動かずにはいられないザワザワとした気持ちになるケースもあるのだ。

体への影響はどう出るのか？

長引く神経性やせ症は、以下のような身体的異常を引き起こす。

・体の新陳代謝を高める甲状腺ホルモンが低下する。
・月経が止まる。
・貧血になる。食べないことで鉄や葉酸が欠乏するだけでなく、極度の低体重では血液の工場である骨髄が変性してしまう。
・耳が詰まった感じがする耳閉感や、こもったように聞こえる自声強聴などが出る耳管開放症になる。耳管の周囲の脂肪組織が落ちることが原因である。

・低栄養によるホルモン異常のため骨粗鬆症になる。

・低タンパク血症、電解質異常、ホルモンの変化などにより、浮腫が現れる。むくみを「太ったのでは？」と誤解しさらに心配になる。

・脳萎縮が起きる。体だけでなく脳もやせてしまうのだ。早いうちに十分な栄養を摂れば回復しうる。

・アルブミン不足で脂肪をエネルギーとして利用できず、高コレステロール血症が起きる。

・女性ホルモンが減ることで、頭髪は減り、代わりに恥毛やうぶ毛が増える。

基本的に食事を戻せば回復する。ただし、極端な栄養不足が長い期間続いていた人の場合、急激に食事を再開すれば「再栄養症候群」という電解質の異常に見舞われる。とくに、血中リン不足が起きれば多臓器不全を引き起こしかねず、入院したからといって、いきなり多量の食事を食べさせられることはなく、食事量は徐々に増量される。

なお、過食・嘔吐を繰り返すケースでは、指を喉に入れた際に歯が当たった手の甲に「吐きダコ」と呼ばれる跡ができることもある。また、嘔吐の際に胃酸にさらされることで、エナメル質がダメージを受け虫歯が増える。

アルコールを飲まずには いられない人たち（アルコール使用障害）

依存症は、ある物事をやめたいと思ってもやめられない病気である。心理的な要素と脳神経の要素の両方の関与で依存が形成される。依存症は次の3つがある。ひとつはアルコール、ニコチン、覚醒剤、コカイン、マリファナなど「物質」への依存。2つめはギャンブル、買い物、万引きなど「行動」への依存。さらに、精神医学で扱われることは比較的少ないが、「人間関係」への依存もある。キャバクラやホストクラブ通いがやめられないのも、一種の依存である。

アルコールを飲まずにはいられない人たち（アルコール使用障害）

物質依存のなかで、最も多いのがアルコール依存症だ。日本におけるアルコール依存症の生涯有病率は男性約2％、女性0・2％と男性に多いが、女性も増えつつある。推定患者数は107万人とされているが、軽症の人も含めればもっと多いはずだ。

アルコール依存症は、よく言われるアルコール中毒とは医学的に別物だ。アルコール依存症が「やめられない状態」のことであるのに対し、アルコール中毒は、脳や肝臓などに「害が生じている状態」のことを指す。

若者の一気飲みでよく見られる「急性アルコール中毒」は、一度に多量の飲酒をして生じる問題で、意識障害や呼吸抑制などの害が起きうる。一方、「慢性アルコール中毒」は、長期間の飲酒によって生じる問題で、肝障害、神経障害、肝臓や食道のがんなどが起きうる。

「アルコール使用障害」診断の基準

精神医学の世界では、アルコール依存症について、「アルコール使用障害（alcohol use disorder）」という語も用いられる。

次のリストのうち、2つで軽症、4つで中等症、6つ以上で重症と診断する。

1　少しだけのつもりが大量に飲酒してしまう
2　飲酒量を減らしたり止めたりしようとしても、飲酒が続くか飲酒を再開してしまう
3　飲酒するために多くの時間や労力を要するか、飲酒後の回復に長時間要する
4　強い飲酒欲求
5　飲酒により職業や家庭などに問題が生じる
6　飲酒により社会的または対人的な問題を起こしつつ飲酒を続ける
7　飲酒により社会的、職業的、または娯楽的活動が減る
8　危険な状態でも飲酒する（飲酒運転など）
9　健康上の問題が生じていることを理解しつつ飲酒を続ける

10　耐性が生じ、酔うのに必要な量が増える
11　飲酒しないと離脱症状が生じる

これらの要素からわかるように、アルコール使用障害では、強い摂取欲求にかられて自己制御困難になり、持続的に多量摂取を続け、耐性や離脱症状が生じ、多くの問題が起きている。

精神依存と身体依存

アルコール依存症に限らず、依存には「精神依存」と「身体依存」がある。

精神依存は、それが欲しくてしょうがない状態で、摂取欲求、渇望などと表現される。「飲んじゃいけない」と思っていても飲まずにいられない。さらに「1杯だけにしておこう」と飲み始めても1杯で済ませられず「じゃあ、2杯まで」「いや、3杯で終わりにしよう」と自分を制御できずにどんどん増えていくコントロールの障害をもたらす。

身体依存は、飲むのをやめると発汗、震え、不安・焦燥感などの離脱症状（禁断症状）が

生じるがゆえにやめられない状態を指す。

実際に、長期間の飲酒が続いていた人がお酒の摂取をやめると、時間経過に従って次のような離脱症状が現れることがある。

- **6~8時間　手が震える振戦**
- **8~12時間　不安・焦燥、発汗、動悸など精神症状や自律神経系過活動**
- **12~24時間　けいれん発作**
- **72時間以内　振戦せん妄と呼ばれる意識障害**

アルコール依存症の人について「手が震えている」イメージが強いが、あれは酔っ払って震えているのではなく、お酒が抜けたから震えているのだ。

依存症は否認の病

アルコールのように依存性がある物質では「耐性」が生じる。要するに、慣れるのだ。お酒は日常的に飲んでいるとだんだん強くなるが、肝臓がアルコールに強くなるだけでなく、同時に、脳もアルコールに慣れて鈍くなっていく。そのため、酔うのに必要なお酒の量が増える。

専門家はよく、「依存症は否認の病」と表現する。アルコール依存症の人は「それほど飲んでいない」「依存症じゃない。お酒が好きだから飲んでいるだけ」「やめようと思えばいつでもやめられるよ」などと、自分が依存症であることを認めようとしない否認が生じがちだ。また、「酒は百薬の長と言ってね……」「酒を飲まずにストレスをためるよりお酒で発散したほうがいいんだ」などと「合理化」することも多い。

だからといって彼らが何もわかっていないわけではない。飲酒によって健康や生活の面で生じる問題に、本当は本人もどこかで苦悩しているものだ。共感的に対応していくことが求められる。

このような物質依存が起きるメカニズムとしては、「物＋状況＋素因」が言われる。

まずアルコールなど依存物質があること。

そして、苦痛に感じる状況があること。その苦痛を自分で癒やそうとして物質に依存するという自己治療仮説もある。

さらに、素因も影響すると考えられる。両親や親戚に明らかに依存症の人がいれば要注意だが、一般的には自分にそのような素因があるかどうかはわからない。だから、誰でもかかりうると思っているくらいがいいだろう。

お酒をやめるために

アルコール依存症の患者は、断酒しても再飲酒することが多く、業界用語で「スリップ」と言う。スリップがあった際、そうした患者を叱りつけるようなことは避け、再飲酒した本人がきちんと報告できる環境を保つことを重視すべきだ。

再飲酒したことについて、表面的にはどう振る舞っていても、本人は心のどこかで残念に思っている。そこにスポットを当て、その人の飲酒しやすいパターンを把握し一緒に対策を練っていくなど、共感的に対応することが求められる。

加えて、アルコール依存症という障害について学んでもらう心理教育や、同じ障害を持つ患者同士で体験を語り合う集団精神療法などを用いていく。

こうした機会はアルコール依存症患者の家族にとっても必要で、心理教育を受けたり、家族会に参加するなどの道がある。

イネイブリング・共依存

依存症の患者がなかなか断酒できない理由のひとつに、周囲がそういう状況をつくり出しているという考えがある。これを「イネイブリング」と言う。

たとえば、アルコール依存症の夫がいる妻のケースで考えてみよう。苦しめられている妻にしてみたら「とんでもない」と否定するだろうが、結果として夫の依存症を悪化させる行動を取っているかも知れないのだ。

よくあるのが、酔っ払っていて運転できない夫に代わって、妻が車を出して酒を買ってくるというケースだ。もちろん、ムダなお金もかかるし、そんなことはしたくないはずだが、お酒がないと夫が「酒買ってこい」と騒いだり、暴力を振るったりすれば、一時的におとなしくなってもらうために買いに行ってしまう。それによって、結果的に夫がお酒を飲める環境をつくっている。

二日酔いで会社に行けない夫に代わって「今日は風邪を引いたので休みます」などと電話をし、フォローするのも立派なイネイブリングだ。

さらに、夫がお酒に溺れて生活がままならず、妻が生活費を稼ぐために働きに出るのも、広い意味でのイネイブリングと言えるだろう。

このように、依存症の夫から逃げることなく、なんだかんだ言って支え続けている妻には「私がいないとこの人はダメなの」という心理もありうる。

「私がいないとこの人はダメなの」と思い込む裏には、自分の存在意義を夫の世話に見出そうとする心理もある。依存症の家族がいることで、その人の生活を支えることが主になり、そこから抜け出せずに自分の人生を送ることができなくなっており、これは共依存と呼ばれる。

こうしたことから、「依存症は家族の病だ」と説く専門家もいる。依存症の家族がいるこ

飲酒を続けられる状態をつくってしまう

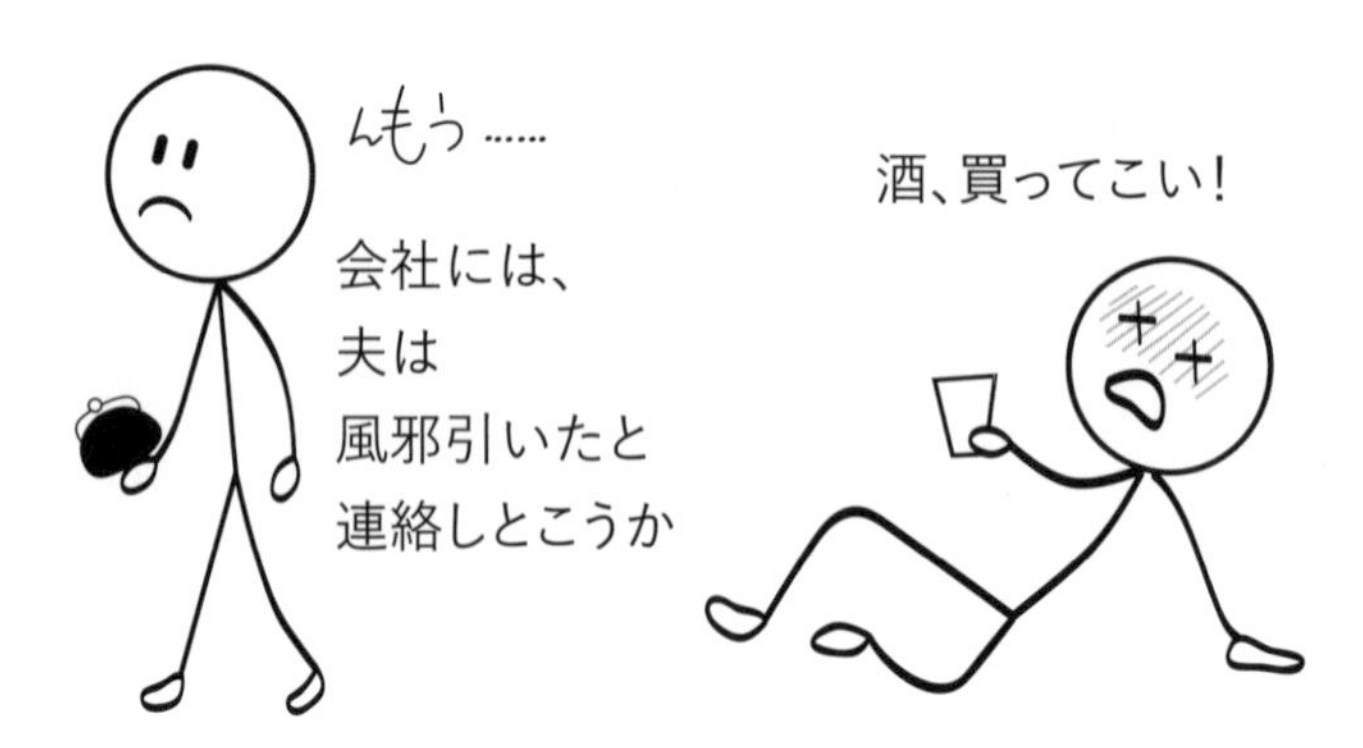

とで苦しむ人をなんら非難するつもりはないが、共依存が起きている可能性については、注意が必要だ。もちろん、家族の適切な支えが依存症による害を減らし、依存症から立ち直る助けにもなりうることは言うまでもない。

断酒とハームリダクション

アルコール依存症について、当事者でない人たちは「飲む量を減らせばいいじゃないか」と考えがちだ。そうやって飲酒を減らせる人がいるのは事実だ。しかし、ある程度以上のアルコール依存症だと、それは至難の業である。アルコール依存症は、意志を強く持てば克服できるようなものではなく、コントロールの障害だ。1杯でも飲めば、それが呼び水となってしまい、コントロールが効かなくなる。

一方で、入院治療などでまったく飲めない状態になると、最初こそ離脱症状に苦しむが、しばらくするとお酒を欲しい気持ちは収まってくる。

このことからも、アルコール依存症から脱却するために必要なのは、「減酒」ではなく「断酒」であることが明らかだ。

ただし、そこに至る手法は丁寧なものでなくてはならない。

かつては、自分がアルコール依存症であることを認めたがらない患者に対し、現実と向き合う「直面化」を求めたり、断酒しなければもうどうにもならないと感じるところまで行きつかせる「底付き体験」をもとに治療に導入しようとしていた時期があった。

しかし、直面化は患者と医療者の信頼関係を損なう。底付き体験を待っていれば、その間に患者の体調は悪化するし、生活も破壊されてしまう。そのため、これらの方法は今ではまったく推奨されない。

代わって注目されているのが、「ハームリダクション」という概念だ。

アルコール依存症の治療に必要なのはあくまで断酒ではあるが、断酒できないときや断酒するという意志が持てないときでも、飲酒の悪影響を少しでも減らしていこうとする試みである。止められなければせめて減らそう。減らせなければせめて支えようというものだ。

また、そうした試みをしているなかで、患者自身が「害を減らそうにも減らしようがない。これはもう断酒するしかないか」と決意を固めることもある。

夜に眠れず日中に
問題が生じている人たち
（不眠症）

夢を見ながら
行動してしまう人たち
（レム期睡眠行動異常症）

突然に眠り込んで
しまう人たち
（ナルコレプシー）

寝ている間に
呼吸が止まる人たち
（睡眠時無呼吸症候群）

夜に足が
むずむずする人たち
（むずむず脚症候群）

睡眠の時間が徐々に
ズレていく人たち
（概日リズム障害）

私たちの睡眠のリズムは2つの要素からつくられている。ひとつは、光をきっかけに整う「体内時計」。もうひとつは、起きている間に脳に溜まる「睡眠物質」だ。眠ると脳の細胞と細胞の間が広がり、脳に溜まった睡眠物質を洗い流すということを毎晩繰り返している。

生理的な睡眠時間は10年で10分ずつ減っていくと言われており、25歳で約7時間、45歳で約6.5時間、65歳で約6時間というところだ。

夜に眠れず日中に問題が生じている人たち（不眠症）

夜眠れなくても日中になんの問題も生じない場合は、不眠症とは言わない。ただ睡眠時間が短いだけである。夜眠れないことで、日中に眠気に襲われたり、集中力が低下したり、疲れが出てしまうようなら不眠症である。

不眠にも、以下のようないくつかの要素がある。

・**入眠困難**
寝付きが悪い。

・**熟眠障害**
ぐっすり眠った感じが得られない。

・**中途覚醒**
夜中に目が覚めてしまう。

・**早朝覚醒**
朝早くに目が覚めてしまう。

いずれにしても、すぐに睡眠薬に頼るのではなく、まずは次のような生活上の改善を図ることが望まれる。

・寝る4時間前からお茶やコーヒーなどカフェイン摂取を避ける。
・覚醒作用があるタバコは、寝る前に吸わない。
・寝る前にお酒を飲まない。アルコールは寝付きを良くはしても、睡眠の質を下げ中途覚醒を招く。
・朝や日中に運動する。
・寝る2時間前までにぬるめのお湯で入浴する。
・午前中に光を浴びる。散歩、庭いじりなどがおすすめだが、外に出ずともカーテンを開け窓辺で光を浴びるだけでも効果がある。
・昼寝は30分までとする。昼寝の直前にカフェインを摂っておくと短時間で目覚めやすい。
・夜更かしをしないで生活のリズムを保つ。
・早寝早起きより「早起き早寝」を目指し、30〜60分早く起きることから始める。
・寝る前は、テレビやスマホのブルーライトを避ける。時間をスマホで確認しないで済むように枕元に時計を置く。
・ベッドは寝るためだけに使い、入床後の睡眠の条件付けを高める。眠たくなったらベッドに行き、眠れないときはベッドから出る。

夢を見ながら行動してしまう人たち（レム期睡眠行動異常症）

レム期睡眠行動異常症は、眠っている間に夢に左右された行動を取ってしまう障害である。

私たちの睡眠は、レム睡眠とノンレム睡眠からなる。レムとはREM（Rapid Eye Movement）のことで、寝ている間にまぶたの下で目がキョロキョロ動いている状態を指す。ノンレム睡眠ではそうした動きは見られない。

夢を見るのは、目が動いているレム睡眠のときだ。また、レム睡眠時は自律神経が高まったり落ち着いたりと不安定で、筋は弛緩している。筋が弛緩しているために、夢に合わせて体が動いてしまうようなことはない。

一方、ノンレム睡眠では夢は見ず、筋に少し力が入っており、寝返りを打つことなどができている。

入眠するとまずはノンレム睡眠が訪れ、その後、レム睡眠に切り替わる。そのセットを、およそ90分の周期で何度か繰り返し、だんだん眠りが浅くなって目覚めに向かうのが一般的だ。

ところが、レム睡眠時に筋の弛緩がうまくいかないと、夢を見ているときに動いてしまう。たとえば、誰かに追われている夢を見て走り出すという危険な行動に出てしまうのだ。

なお、いわゆる「夢遊病」は睡眠時遊行症と呼ばれ、睡眠中に行動するという点でレム期睡眠行動異常症と似ている。しかし、こちらはノンレム睡眠時に行動するもので、若年層に多く、ほとんどが年月を経て自然に寛解する。

しかし、中年期から老年期に出現するレム期睡眠行動異常症は、予後についてもう少し深刻である。というのも、レビー小体型認知症やパーキンソン病との関連性が強く指摘されているからだ。レム期睡眠行動異常症が疑われたら、それらの疾病についても慎重に経過を見ていく必要がある。

突然に眠り込んでしまう人たち（ナルコレプシー）

ナルコレプシーでは、突然に眠り込む「睡眠発作」が特徴的である。時と場所を選ばず、どうにもできない強い睡魔が襲ってきて、どこでもいきなり眠り込む。そして、少し眠るとスッキリ目覚める。

カタプレキシーという「情動脱力発作」が起きることもある。笑ったり、驚いたり、怒ったりという感情の高ぶりがあったときに、体の力がストンと抜けてしまうものだ。

寝入り端に、いわゆる金縛りである「睡眠麻痺」が起きたり、眠りにつく際人の姿が見えるなどの幻覚「入眠時幻覚」に襲われたりする。

一般的に、私たちはノンレム睡眠から眠りに入るが、ナルコレプシーでは、レム睡眠から始まってしまう。そのため、眠りに入る際、意識が残っているうちに夢も見はじめて入眠時幻覚が生じるし、意識が残っているうちに筋肉に力が入らなくなって睡眠麻痺が生じるのだ。

ナルコレプシーは、世界的には2000人に1人いるが、日本では600人に1人と罹患率が高く、10～20代の発症が多い。

ナルコレプシーであることが判明したら、自動車の運転はしてはならない。入浴も、湯船に浸かるのは眠って溺れかねず危険である。

ナルコレプシーの患者では、覚醒を維持する神経伝達物質「オレキシン」が欠乏している。多くは自己免疫によってオレキシン神経細胞が壊されてしまうことが原因だ。

ナルコレプシーの診断を下すには、いろいろなセンサーを体のあちこちに取り付けて睡眠中の状態を見る「睡眠ポリグラフ（PSG）」や、何度も昼寝して眠りにつく時間や脳の状態を確認する「反復睡眠潜時テスト（MSLT）」が行われる。反復睡眠潜時テストでは、そう何度も昼寝できないのが通常だが、ナルコレプシーだと何度も昼寝で8分以内に眠りにつけてしまう。

ほかにも、入眠時の脳波や、髄液中のオレキシン濃度なども参考にする。

寝ている間に呼吸が止まる人たち（睡眠時無呼吸症候群）

睡眠中に、一定時間の呼吸停止を繰り返す障害である。英語名SAS（sleep apnea syndrome）から、専門家の間では「サス」と呼ばれることが多い。

睡眠中に溺れてしまうような状態であることから、欧米では「オンディーヌの呪い」（オンディーヌは水の精）の別名もある。

専門的には、睡眠中に10秒以上の呼吸停止が1時間に30回以上起きることと定義される。不眠を訴える人には、この障害がないかまずは疑ってみるべきだ。

とくに、顎が小さかったり、肥満傾向にあったりするなら、より睡眠時無呼吸症候群の可能性は高くなる。

また、「イビキがうるさい」だとか「寝ているときに息が止まっている」だとかと家族に言われる人は、睡眠時無呼吸症候群の可能性が高い。

睡眠時無呼吸症候群には2つのタイプがある。

・**中枢型**（脳が呼吸をサボることで起きる）
・**閉塞型**（アデノイド過形成、扁桃肥大、肥満などが原因となる。やせていても顎が小さいと起きうる）

治療法には、以下のようなものがある。

・**CPAP（シーパップ／持続陽圧呼吸療法）**（特殊な器機を用いて睡眠中の呼吸をサポートする。医療機関の専門外来の受診が必要である）
・**マウスピース**（舌が喉の奥に落ちないように補助する）
・**ダイエット**（肥満であれば体重を減らす）
・**側臥位の睡眠**（パジャマの背中にテニスボールを縫い付けるなどの工夫で、睡眠中に仰向けを減らす）
・**睡眠薬やお酒を避ける**（ベンゾジアゼピン系の薬剤やアルコールは、睡眠時無呼吸症候群を悪化させる）
・**手術**（とくに子どもの睡眠時無呼吸症候群では喉の問題が多く、気道を広げる手術が行われることがある）

夜に足がむずむずする人たち（むずむず脚症候群）

夜、寝ようと思った頃になると、足がむずむずして動かさずにいられなくなり、睡眠が妨げられる障害である。レストレスレッグス症候群（restless legs syndrome）とも呼ばれる。

背景に、腎不全、鉄欠乏、妊娠、加齢などがありうる。入眠困難を訴える人のなかに、この障害を抱える人が少なからずいるはずだが、正しい治療を受けられていないケースも多いはずだ。中には、自分の症状について患者が「見えないほど小さな虫が足を這い回る」と誤解し皮膚寄生虫妄想を抱くこともある。

また、むずむず脚症候群に伴って「周期性四肢運動障害（periodic limb movement disorder）」が生じることも多い。

周期性四肢運動障害は、かかとが反ったり膝が屈曲したりと、下肢を主とした四肢の運動の反復が、睡眠中に30秒程度の間隔で周期的に繰り返す。

どちらも治療法は同じで、まずは鉄欠乏の有無を調べ、鉄欠乏が存在すれば鉄剤を服用する。夕方以降のカフェイン摂取を避ける。

それでも持続するか、あるいは、鉄欠乏によるモノではない場合は、本来はパーキンソン病の治療薬であるドパミン作動薬を試みる。

なお、錐体外路症状のひとつであるアカシジア（72ページ参照）でも似たような症状が出る。しかし、こちらは抗精神病薬の副作用であり、夜という時間帯に関係なく症状が現れる。

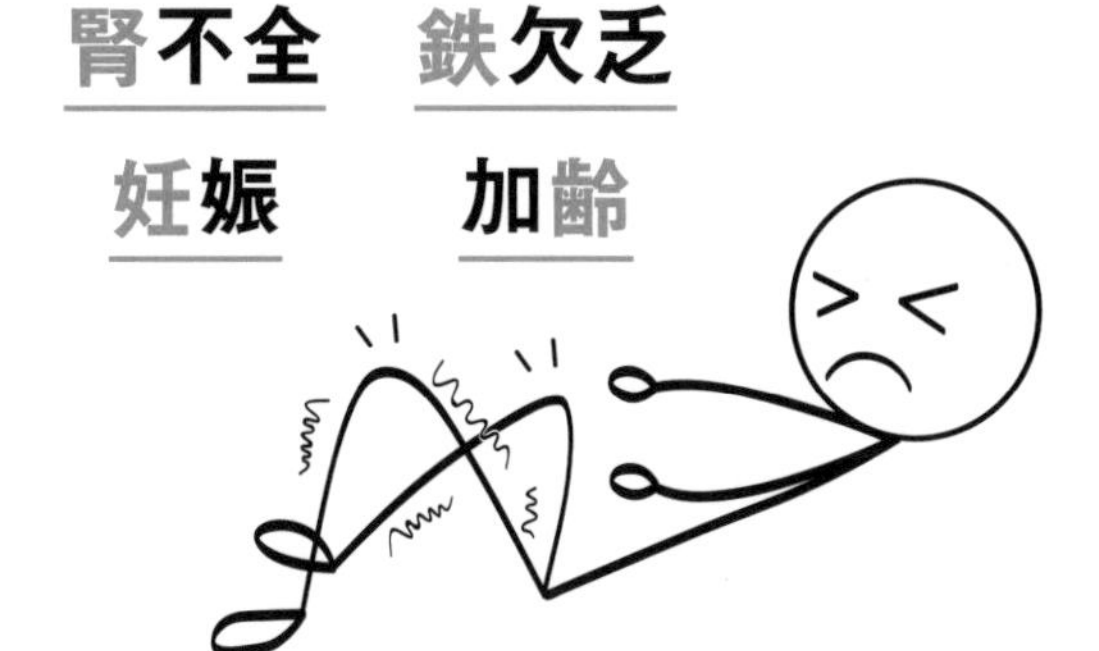

睡眠の時間帯が徐々にズレていく人たち（概日リズム障害）

概日リズム睡眠 - 覚醒障害（circadian rhythm sleep-wake disorder）とも言われる。適切な睡眠相から少しずつズレていくもので、「睡眠相後退型」と「睡眠相前進型」の2つのパターンがある。

これまで普通に眠れていたのが、少し寝坊してその分、夜更かしするという生活をしているうちに、さらに寝坊がひどくなり夜更かしもひどくなり……を繰り返すようになって、やがては、すっかり昼夜逆転してしまうのが睡眠相後退型である。

一方、少し朝早く目覚めて、その分早く寝たら、さらに早く目が覚めて、もっと早く寝るようになり……を繰り返して昼夜逆転してしまうのが睡眠相前進型だ。

いずれも、一周巡って逆転から元に戻り、また逆転していく。

なかでも、睡眠相後退型の患者には、不眠を強く訴え睡眠薬に頼りたがる人もいる。しかし、概日リズムが乱れていることによる不眠には、ベンゾジアゼピン系睡眠薬は期待通りには効かない。

もともと、睡眠ホルモンと言われる「メラトニン」は、朝起きて光を浴びると抑制され、そこから時間をおいて、夜になる頃に脳の松果体からメラトニンが分泌されて眠気が生じるというように、光をきっかけに私たちの体内時計は整えられている。

この体内時計が徐々にズレていくのが、概日リズム障害であり、とくに後退型では、まずは朝に光を浴びる習慣が有効だ。

なお、高齢者は、生理的に睡眠時間が短くなっていくものだが、それを気にして「早く布団に入って長時間寝よう」などと考えると、睡眠相前進型の概日リズム障害に陥りやすい。

睡眠の時間帯が徐々にズレていく

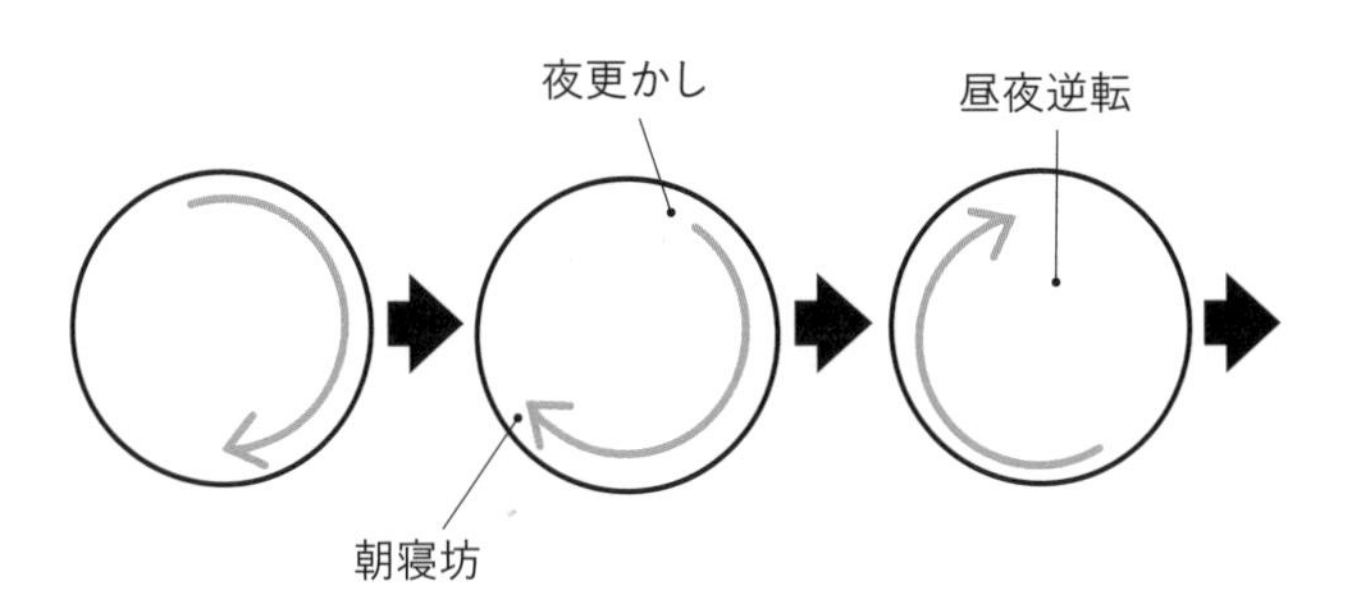

入院中、急に認知症が進んだと間違えられがちな人たち（せん妄）

せん妄は、「注意・集中力の低下」と「失見当識」が生じる意識障害で、手術や病気の悪化など身体に異常があるときに起きやすい。人物・時間・場所などがわからなくなる見当識障害など認知症と似たような症状が出るが、認知症とはまったく別物である。せん妄によって、転倒など事故のリスクが高まること、病棟管理の負担が増えることなどから、医療現場では予防と早期発見の必要性が強く認識されている。

入院中、急に認知症が進んだと間違えられがちな人たち（せん妄）

せん妄は、心理的な問題である「心因性」や脳の不調で生じる「内因性」とは異なる、背景に身体的な問題が存在する「外因性」の精神障害であり、一種の意識障害である。

発症には「準備因子」「直接因子」「促進（誘発）因子」が関与しており、原因そのものである直接因子としては、身体疾患、手術、薬剤などが挙げられる。具体的には、がん、腎疾患、肝疾患、糖尿病などが進行したとき、脳血管障害、脳腫瘍、脳外傷、脳髄膜炎などが見られるとき、手術後や特定の薬剤を使用したときなどに出現しやすい。

せん妄が起きやすい下地である準備因子としては、高齢、認知症、脳器質性疾患の既往、大量飲酒、せん妄の既往などが挙げられる。せん妄は入院患者の中でもとくに高齢者で生じやすく、認知症ではリスクは2倍になる。

促進因子としては、身体的苦痛（不眠、疼痛、便秘、尿閉、視力低下など）、精神的苦痛（不安、うつなど）、環境変化（入院、騒音など）がある。

せん妄の人たちに起きていること・困っていること

せん妄には「過活動型せん妄」と「低活動型せん妄」があり、医療現場でとくに問題となるのは過活動型せん妄である。

手術、薬、体の病気などの影響から、がん患者にはせん妄が起きやすく、病棟の医師や看護師は注意を払う必要がある。

せん妄の具体的な症状として、主に以下のようなものがある。

・幻覚や妄想

人の姿や虫が見えるなどの幻視が生じうる。

・見当識障害

時間、場所、人物などの見当識を失う。看護師を自分の娘だと思ったり、夜中に出かけようとしたり、病院を家だと思い込んだりする。

・焦燥

そわそわして落ち着かなくなる。

・睡眠—覚醒リズムの障害

昼夜の区別がおかしくなり夜中に騒ぎ出すことが多い。「夜間せん妄」と呼ばれ、医療現場ではとくに看護師が悩まされる。

・注意力や集中力の低下

話をしてもぼんやりしている。たとえば100から7ずつ引いていく計算をさせてみても、途中でごちゃごちゃになってしまうかも知れない。

せん妄で生じる見当識障害を確認するには、「ここがどこかわかりますか？」「今、何時かわかりますか？」などと問う。

せん妄の危険性

せん妄が起きれば、転倒などの事故につながりやすく、せん妄で適切な治療を施せなくなれば、死亡リスクも高まり、結果的に、患者の入院期間が延長され、当然のことながら、看護師らの病棟管理の負担が増すなど、せん妄には問題も多い。

そのため、患者や家族のためにも、医療サイドのためにもせん妄の予防は非常に重要である。

しかしながら、それがなかなか難しい。

点滴や尿道カテーテルなどの管に体がつながれていることは、せん妄を招きやすくする一因である。しかし、せん妄を引き起こすような患者の多くは手術後だったり重篤な状態だったり、その治療に点滴や尿道カテーテルなどが必要なことが多く、簡単な問題ではない。

病棟の中でも、とくにＩＣＵに入っているとせん妄のリスクが上がる。ＩＣＵは24時間煌々と明かりがついており、ピーピーとさまざまな機械音が絶えず鳴っている。まさに、身体的苦痛、精神的苦痛、環境変化という促進因子が揃っているのだ。

薬剤では、抗コリン薬、ベンゾジアゼピン系薬などがせん妄を生じさせる。

疼痛はせん妄を招くが、疼痛を抑えるのに用いるオピオイドがせん妄のリスクを高めることにも注意が必要であり、医療現場は難しい対応を迫られているのだ。

認知症との違いと注意

一般的に入院患者の10人に1人、高齢の入院患者や手術後患者の2人に1人と、せん妄はよく見られる障害である。

しかし、突然におかしな言動が出るので、「認知症になった」と心配する家族も多い。

認知症は徐々に進行するのに対し、せん妄は急に生じる。また、しばらくして回復するのが基本である。せん妄を防ぐには、その原因を減らすことが重要だ。ベンゾジアゼピン系の睡眠薬など、せん妄の原因になりうる薬はできるだけ減らすべきだろう。痛みが続いているのであれば、できるだけ疼痛コントロールすべきだろう。

昼夜のリズムを整えるため、日中の覚醒を促し、窓からの光を浴びるなど、明るいところで過ごしたほうがいいだろう。可能なら、家族の面会が多いほうがせん妄を防げるし、面会が難しい状況でも定期的に電話で会話するようにしたいものだ。見やすいところにカレンダーや時計があったほうがいいだろう。

メラトニン受容体作動薬（ラメルテオン）、オレキシン受容体拮抗薬（スボレキサント、レンボレキサント）という睡眠薬で安定した睡眠が得られるようにしておくことは、せん妄を減らしうる。

せん妄が起きてしまったら、その原因となる身体的問題を改善させることが最も重要だ。興奮を伴うような過活動型せん妄であれば、対症療法として、リスペリドンやクエチアピン、ハロペリドールなどの抗精神病薬による鎮静が行われる。

日頃より飲酒を続けてきた人が入院などで急に飲酒を断ったとき、アルコールの離脱症状としてせん妄が引き起こされることがある。これは、しばしば離脱症状で手が震えることから、振戦せん妄（アルコール離脱せん妄）と呼ばれる。その治療・予防にはアルコールと同様にGABAと関わるベンゾジアゼピン系の抗不安薬や睡眠薬を用いる。

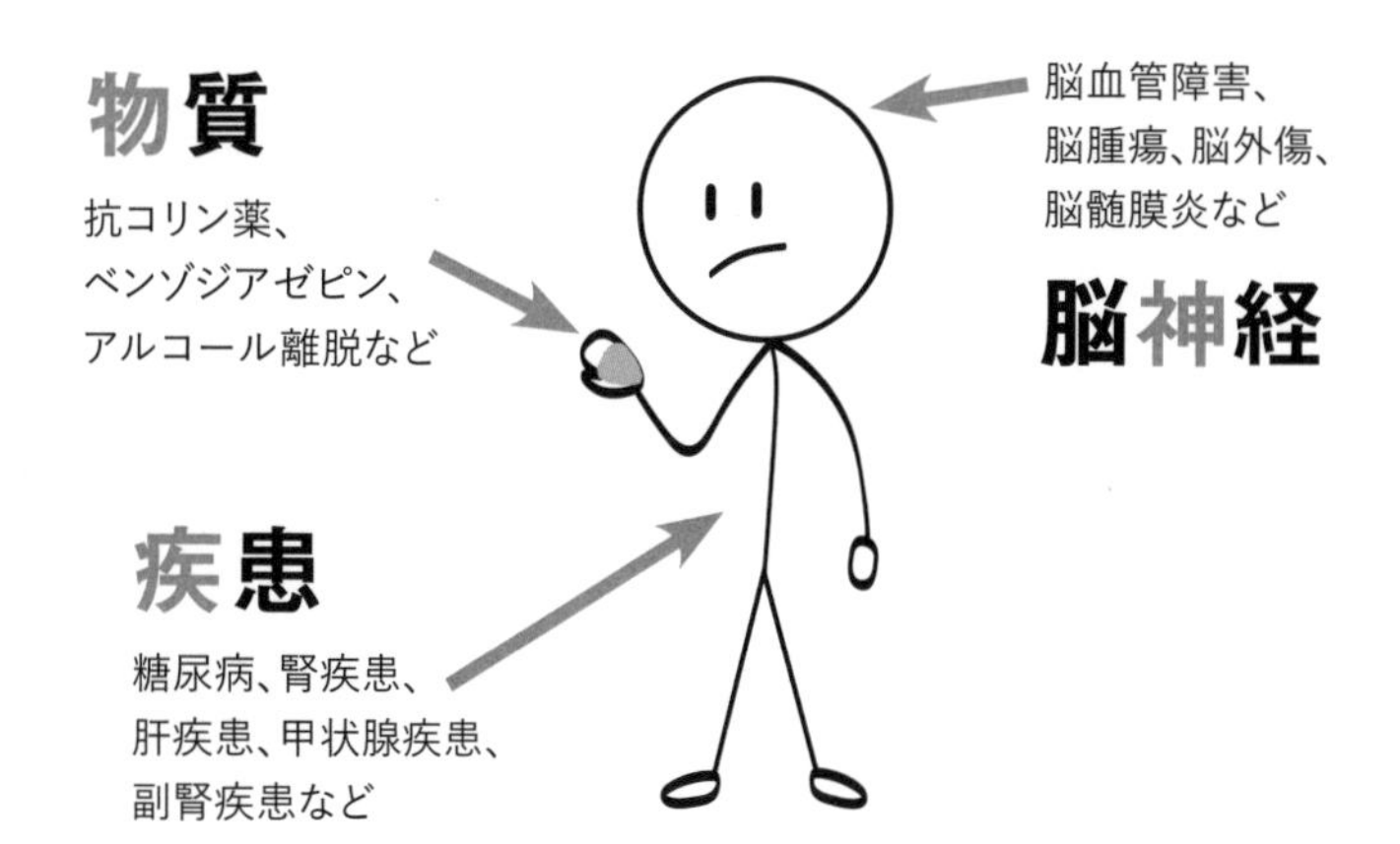

人を疑わずに
いられない人たち
（妄想性パーソナリティ障害）

感情が乏しく
孤立する人たち
（シゾイドパーソナリティ障害）

急に怒る、
風変わりな人たち
（統合失調型パーソナリティ障害）

悪いことを
繰り返す人たち
（反社会性パーソナリティ障害）

感情が不安定な人たち
（境界性パーソナリティ障害）

自分はすごいと思いたがる
傷つきやすい人たち
（自己愛性パーソナリティ障害）

注目を集め続けないと
いられない人たち
（演技性パーソナリティ障害）

自信が持てず不安で
引っ込み思案な人たち
（回避性パーソナリティ障害）

自信がなさすぎて、人に頼らざるをえない人たち
（依存性パーソナリティ障害）

細かいことにとらわれすぎる人たち
（強迫性パーソナリティ障害）


パーソナリティ障害（人格障害）には、大きく3つの群がある。

A群　妄想性、シゾイド、統合失調型／B群　反社会性、境界性、自己愛性、演技性／C群　回避性、依存性、強迫性。

パーソナリティ障害全般について言えることだが、あるときに「発症」するというよりも、もともとあった気質のようなものが成人期早期までに明らかになり、短期間では変化せず一貫した傾向が見られる。その問題で自分自身、または周囲に問題が生じる際に障害として扱われる。パーソナリティ障害であるかどうかは、症状から診断される。

人を疑わずにいられない人たち（妄想性パーソナリティ障害）

英語名「paranoid personality disorder」。猜疑性パーソナリティ障害とも言われる。パーソナリティ障害3つの分類のうち、統合失調症との関わりが深いA群に属する。

大きな特徴は「他者に悪気があると思いがち」「不信と疑い深さ」の2つで、もともとの概念である「パラノイド人格」として「情緒興奮性」「好訴性」が指摘されていた。

臨床の現場で妄想性パーソナリティ障害と診断されることはあまり多くないが、診断しそびれている事例が結構あるとも思われる。

有病率について、3％前後と考えられる。女性よりも男性に多い。

統合失調症の親族や被害型の妄想性障害の家族にも比較的多く見られ、関係性が指摘されている。

「妄想性パーソナリティ障害」の人たちに起きていること

次の7つの症状のうち、4つ以上を満たすと妄想性パーソナリティ障害と診断される。

1　**充分な根拠もないのに「騙される」「利用される」「危害を加えられる」と他者を疑う**

「絶対、私に何かするでしょ」などと、人を疑ってばかりいる。

2　**友だちや仲間の誠実や信頼を不当に疑い、それに心を奪われている**

周囲からすると、「この私のことさえも疑うの？」と驚くような状態となる。

他者を疑う

絶対
私に何か
するでしょ

3 情報が悪用されると根拠なく恐れる

悪用されると疑っているため、自分の秘密を喋ろうとしない。

4 悪意のない言葉や出来事に、自分をけなしたり脅したりする意味が隠されていると読む

「暗に私がバカだと言っているわけね」「暗に俺を殺すと脅しているんだろう」などと、悪い方向へ思い込む。

5 恨みを抱き続ける

侮辱された、軽蔑された、傷つけられたと思い込むと、決して許そうとしない。

6 自分の性格や評判について他者の攻撃を感じ、すぐ怒って反応、逆襲する

他者には覚えがなくわからないにもかかわらず、勝手に攻撃的になる。

恨みを抱き続ける

自分の秘密を喋ろうとしない

悪い方向へ思い込む

7 妻や夫や性的伴侶の貞節への、道理に合わない疑念を繰り返し抱く

「浮気しただろ」と、証拠もないのに責め続ける。

治療者も難しく感じる接し方

こうした症状を示す妄想性パーソナリティ障害に対する治療はなかなか難しい。統合失調症と同様に抗精神病薬が有効であるという報告もあるが、疑い深い彼らを研究するのは難しく、充分な研究は行われていない。

自己評価が低いと、猜疑心、傷つけられる恐れ、コントロールされる恐れが強くなるので、自己評価や自己有効感を高める助けが有用である。いわゆる精神分析的なアプローチよりは、現実的な社会のコミュニケーションの問題を扱うようにしたほうがいい。

彼らと話す中では、不用意に本人の気持ちのあり方や性のテーマといった個人的領域に深く踏み込まないようにすべきだ。踏み込みすぎて本人が治療者の共感や温かさを感じると、かえって葛藤や混乱が高まってしまう可能性もある。

本人の主張の「真偽」は判断せず、共有するのみ

妄想性パーソナリティ障害の治療を適切に進めるには、本人との問題意識の共有が重要である。

本人がうつ症状、不適応、対人関係のトラブルなどを苦痛に感じていることを受け止めた上で、本人の特性に注目し、類似の問題が複数の生活領域で繰り返されていることを拾い上げる。

本人の考えにつき、そう考えるのも理解できますなどと可能性として一理あることを認める。その上である種の「癖」のようなものから、繰り返し問題が起きて、本人の負担になっていることを説明する。

治療者は本人の主張の「真偽」を判断しない立場を取ることだ。

ただ、「どちらが正しいかではなく、周りの人とそれだけ意見の相違があったら、トラブルになるでしょうに」などと、本人が「つらい」状態にあることを共有していく。その上で、社会におけるコミュニケーションの取り方について、トラブルを回避する方法を話し合う姿勢が必要である。

関わる者の小さな振る舞いが本人の不信感の原因となりうるので、何か間違いを指摘されたら、自分の至らなさを認める率直さも必要だ。

感情が乏しく孤立する人たち（シゾイドパーソナリティ障害）

英語名「schizoid personality disorder」。スキゾイドパーソナリティ障害とも発音する。このときのスキゾイド（schizoid）とは、「統合失調症のような」という意味であり、業界ではドイツ語から「シゾイド」と呼ばれる。

パーソナリティ障害の3つの分類のうち、統合失調症に関連するA群に属する。

ただし、幻聴も妄想もなく、「社会的孤立」「引きこもり」「感情表出の乏しさ」といった統合失調症の陰性症状を中心とした人格である。

有病率は3～4％で、女性より男性のほうが障害が強く出るとされる。多くの場合、成人期前期に症状が現れ始め、ほとんど変わることなくずっと続く。

基本的に、本人がシゾイドパーソナリティ障害を自覚して医療機関を受診することはあまりない。ゆえに、薬物などの治療法も体系化されて語られることはなく、臨床現場でも、その人の特性として扱われているのが現状である。

「シゾイドパーソナリティ障害」の人たちに起きていること

DSM-5では、「社会的孤立」や「感情表出の乏しさ」を中心にした診断基準がつくられている。

具体的には、以下のような7つの症状のうち、4つ以上があてはまればシゾイドパーソナリティ障害と診断される。

1　家族の一員であることも含め、親密な関係を望まない

家族であっても親密な関係を望まないし、親密な関係を楽しまない。そもそも、誰かと親しくなりたい、友だちが欲しいという意識がない。

2　**ほとんどいつも孤立した行動を望む**
他者と行動しようとしない。

3　**第一度親族以外に親しく信頼できる人がいない**
両親や兄弟姉妹を除いて、誰も信頼しない。そもそも、友だちはいらないと思っている。

4　**他者との性体験に興味がない**
あったとしても少しだけで、恋人も欲しがらない。

5　**喜びを感じる活動がない**
あったとしてもわずかで、何かを楽しむということをしない。

6　**情動的冷淡さ、平板な感情、離脱**
いつも周囲の物事や人への感情が欠如している。

7　**賞賛や批判に無関心に見える**
本当にまったく無関心かどうかは別にして、褒められてもけなされても気持ちが揺れ動く様子が見受けられない。

孤立した行動を望む

他者との性体験に興味がない

賞賛や批判に無関心に見える

何かを楽しむということをしない

急に怒る、風変わりな人たち（統合失調型パーソナリティ障害）

英語名「schizotypal personality disorder」。パーソナリティ障害の3つの分類のうち、統合失調症との関連が深いA群に属する。

統合失調型パーソナリティ障害は、統合失調症とまではいかないが、それに近い症状を示す障害である。

有病率は4％前後とされ、女性より男性のほうがわずかに多い。統合失調症の人の親族に多く見られる。

大きな特徴は2つあり、ひとつは親密な関係であっても急に不機嫌になること。さっきまでフレンドリーでいたのに、急に怒り出したりする。

もうひとつは認知的、知覚的な歪曲、行動の風変わりな様子だ。つまり、周囲から見てその外見や行動が「変な感じ」を与える。

抗精神病薬が有効だったとする研究もあるが、まだはっきりしたことはわかっていない。

「統合失調型パーソナリティ障害」の人たちを苦しめる症状

次の9つの症状のうち、5つ以上があてはまると統合失調型パーソナリティ障害と診断される。

1　関係念慮（関係妄想は含まない）

周りの物事を自分に関連づける考えが浮かぶ。そう確信してしまう関係妄想（64ページ参照）まではいかないが、ついそう思えてしまう。

2　奇異な信念、魔術的思考

迷信深かったり、千里眼、テレパシー、第六感などを信じ、自らの行動に影響を与える。子どもや青年の場合、奇異な空想や

思い込みに支配される傾向にある。

3 **普通でない知覚体験**

身体的錯覚など不思議な体験や感覚がある。

4 **奇異な考え方と話し方**

統合失調症の症状である連合弛緩（61ページ参照）まではいかないが、考え方や話し方にまとまりを欠く。周囲は、曖昧、回りくどい、抽象的、紋切り型、細部にこだわりすぎるという印象を持つ。

5 **疑い深さ、または妄想様観念**

二次的妄想（他の体験から了解的に発生するもの）にとらわれる。周囲から見れば、「まあ、たしかにそういう状況だと、そう思ってしまうこともあるかも知れないね」というレベルの考えすぎが多い。

6 **不適切な感情、または収縮した感情**

みんなが悲しんでいる場で楽しくなったり、楽しいはずの場で悲しくなったりする。または感情の幅が狭くなる。

7　奇妙、風変わり、特異な行動や外見

服装や行動が一般とは異なりがち。

8　第一度親族以外に親しい信頼できる人がいない

両親や兄弟・姉妹という家族を除いて、親しい人がほとんどいない。

9　社交不安

社交不安症（82ページ参照）の場合、「自分がダメなのではないか」という自己卑下が根底にあるが、統合失調型パーソナリティ障害では、「みんな、どうせバカにするんだろう」といった妄想的恐怖を伴う。慣れで軽減することはない。

悪いことを繰り返す人たち
（反社会性パーソナリティ障害）

英語名「antisocial personality disorder」。パーソナリティ障害3つの分類のうち、トラブルを起こしやすいB群に属する。

反社会性パーソナリティ障害を治す薬はなく精神科の治療対象にはならないが、そもそも治療しようと本人が医療機関を受診することもまずない。一方で、問題行動に困った家族が連れてきたり、睡眠薬や抗うつ薬などの処方薬を乱用することが目的で受診することはあるかも知れない。

一般的に、医療者がこの人と関わるとしたら、刑務所内の病院か、犯罪に関する精神鑑定に携わるときだろう。サイコパスと関連して語られることもある。反社会性パーソナリティ障害が行動面に重きを置いて定義されるのに対し、サイコパスは内面に重きを置いて定義される。ただ、同じものを指していることは確かであり、反社会性パーソナリティ障害のなかでも重い中核的存在がサイコパスと言えるかも知れない。

「反社会性パーソナリティ障害」の人たちに起きていること

専門的には、次の7つの症状のうち、3つ以上があてはまると反社会性パーソナリティ障害と診断される。

1 法的に社会的規範に不適合

ルールや法律などの類を守ろうとせず、逮捕されるような行動を繰り返す。

2 虚偽性

繰り返し嘘をついたり、偽名を使ったりする。自分の利益や快楽のために人を騙す。

3 将来に対して無計画で衝動的

下積みと言われるような仕事や、コツコツやる作業は苦手。「やってられないよ」「やめ

ルールや法律を

守ろうとしない

てやるよ」などと投げ出す。学生の場合は、退学に至るケースもある。

4　いらだたしさ、攻撃性

暴力的な喧嘩や、一方的な暴力に及ぶ。

5　自分に関しても他人に関しても安全を考えない無謀さ

相手が「危ないところだった」「死ぬかも知れなかった」などと恐れ驚愕するようなことに対しても「別にいいじゃん」という態度を取る。

6　一貫して無責任

仕事場から急に姿をくらましたり、払うべきお金を払わなかったりという無責任な行動を繰り返す。

7　良心の呵責の欠如

他人を傷つけたり、いじめたり、物を盗んだりするが、そのことに無関心。あるいは「騙されるやつが悪いんだ」などと自分を正当化したりもする。

無計画で衝動的

いらだたしさ、攻撃性

一貫して無責任

騙されるやつが
悪いんだろ

良心の呵責の欠如

「サイコパス」って何？

基本的に、サイコパス（psychopath）を精神科医が扱うことはほとんどない。サイコパスは病気ではなく、人格傾向、気質であって、医療の対象ではない。

サイコパスであるかどうかを判断するためのチェックリスト（PCL）が存在する。それに基づくと、サイコパスには以下のような特徴がある。

【対人的な特徴】

・**表面的な魅力**
見た目には魅力的なことがある。

・**尊大な自己意識**
人を使うことに何のためらいもない。

・**他者操作性**
人を転がすのがうまい。

・**病的な虚言癖**

嘘に嘘を重ねる。

・長続きしない婚姻関係

結婚はしても長続きしない。

【感情的な特徴】

・良心の呵責や罪悪感の欠如

ルールを外れることや人を傷つけることにためらいがない。

・浅薄な情緒性

感情はあるが奥深いものではない。

・自分の行動に責任を感じない

法律や支払い責任などを平気で無視できる。

・共感性がなく冷淡

共感しているフリはできても、心の底から反応することはない。

【生活様式の特徴】

・行動のコントロール欠如

状況に合わせて自分を抑えることができない。

・衝動性

罪悪感の欠如

善悪って何?

は?

暴力や窃盗などに走りやすい。

・**刺激希求性**

危険な刺激を追い求める。

・**現実的・長期的目標の欠如**

今の瞬間を利那的に生きる。

・**無責任性**

すべからく責任というものを感じない。

・**寄生的ライフスタイル**

誰かを利用しながら暮らす。

・**反社会性**

幼少期など早いうちから反社会的傾向が見られる。

こうした特徴を持つサイコパスについて、親の育て方などが論じられることがあるが、そうした二次性の要素は乏しい。育ち方による二次性のサイコパスはソシオパスと呼ばれることもある。本質的な原因として、脳の特性が指摘されている。扁桃体が小さく、セロトニンやドパミンが過剰という。つまり、人はサイコパスになるのではなく、サイコパスとして生

まれるのだ。

脳の扁桃体は、不安を感じ取る部位である。そこが小さくて、セロトニンやドパミンが多い脳であり、もともと不安や恐怖を感じることが少なく、刺激を求めがちだ。子どもは、親や教師から叱られることを恐れて不適切な物事をしないようになるものだが、サイコパスはそうした恐怖心が欠如しており、情動学習が起きにくい。

サイコパスにとって、切断された血だらけの手首と石ころは同じような「物体」にすぎないし、悲しんでいる人や苦しんでいる人を見ても自律神経の反応が認められない。このように、サイコパスは人間的な情緒性が欠如しているところへ、成長のなかで獲得した知識だけは蓄積される。たとえば、「こんなおばあさんを殴ったらかわいそうだ」といった感情はないままに、「殴って財布をぶんどったら自分は儲かる」ということが単に学習されてしまう。そのため、サイコパスは犯罪傾向が強くなるのだ。

一方で、犯罪とは無縁で活躍しているケースもある。対人的特徴と情緒的特徴は持っているのに、生活様式の特徴が生じないサイコパスがおり、彼らは「ホワイトカラーサイコパス」と呼ばれる。魅力的な見た目、自信満々な態度、人を転がすのが上手でしかも冷淡に切っていく……。

政治家や経営者、外科医、警察官、弁護士などで成功している人にサイコパスは多いと言われている。

感情が不安定な人たち
（境界性パーソナリティ障害）

英語名「borderline personality disorder」。パーソナリティ障害3つの分類のうち、トラブルの多いB群に属する。

この名称から、自傷する人を「ボーダー」などと軽々に呼ぶ傾向が世の中にある。しかし、境界性パーソナリティ障害であれば、慢性的な希死念慮を抱いており、実際に死に至る可能性も高いため、周囲に正しい認識が求められる。

境界性パーソナリティ障害の症状は、他の精神障害、とくに双極性障害と共通する部分があり、丁寧な鑑別が必須である。

「境界性パーソナリティ障害」の人たちを苦しめる症状

境界性パーソナリティ障害は、次の9つの症状のうち5つ以上が、若い頃から長い期間にわたって続いたときに診断される。

1　見捨てられ不安

相手に見捨てられないように、なりふり構わずに振る舞う。やたらとプレゼントを贈ったり、頻繁にメールをしたり、望まない性交渉に応じたりもするかも知れない。相手のことをつなぎ止めておこうと、自殺をほのめかしたり、自傷行動に走ったりすることもある。

2　感情の不安定性

顕著な気分反応性による感情不安定が見ら

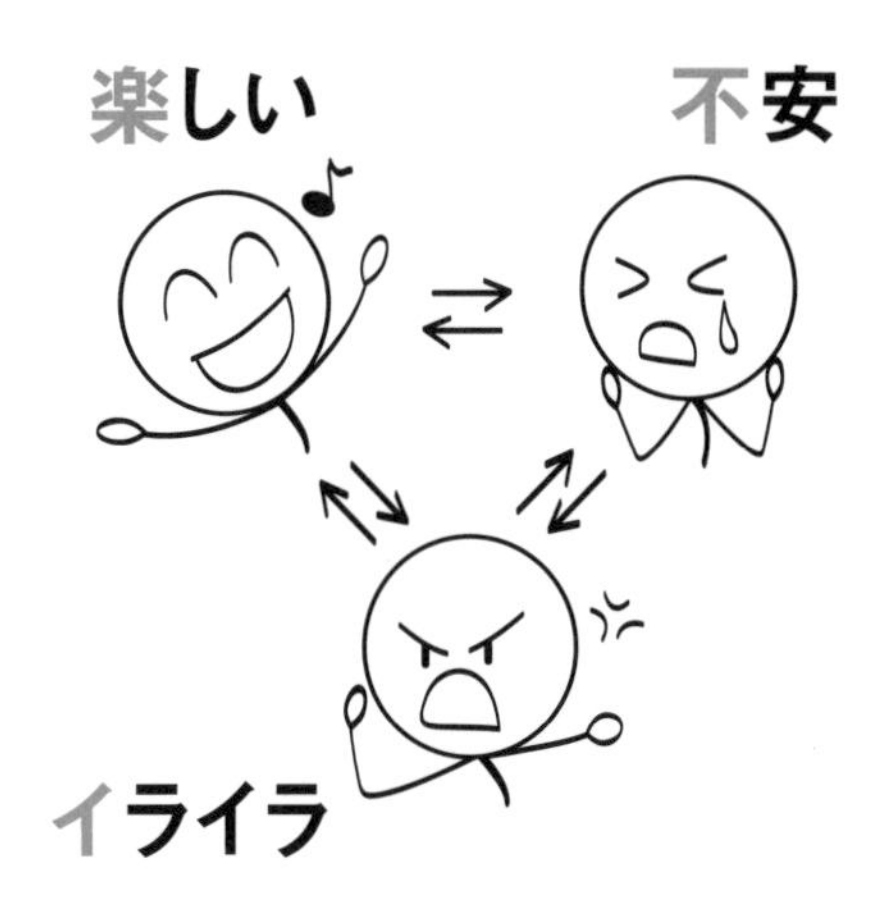

れる。日にち単位、時間単位で気分がコロコロ変わり、楽しそうにしていたと思ったら急にイライラしたり、怒り出したり、落ち込んだり、不安になったりと、感情が安定しない。多くは、対人関係のストレスによって極端な反応が起きる。

3 対人関係が著しく不安定

人の好き嫌いが激しく、「好きな人・嫌いな人」を極端に分ける。あるいは、同一の人物について、ときに理想化し親しく付き合ったと思ったら、いきなりひどくこき下ろしたりする。これは、人のある一面だけを見て、そのときの気分で評価することから起きる。こうしたことから、人間関係が長続きせず、続いたとしても苦労が多い。

4 同一性障害

目標や価値基準などが不安定でコロコロ変わる。たとえば、職業についても「花が大好きだから花屋になる」はずだったのが、「手に職をつけたいから看護師になる」「お金が大事だから稼げる水商売にする」と言ってみたりとコロコロ変わり安定しづらい。

5 空虚感

慢性的に虚しさを抱えている。周囲からするとあまり目立った症状ではないが、本人は長年苦しんでいる。「うつ病」ではないかと病院を受診する人もいる。

6 衝動性

浪費、性行為、物質乱用、無謀な運転、過食など、自分を大切にせず傷つける衝動的な行動に出る。お酒を飲んで行きずりの人と性行為に及んだり、ギャンブルに没頭したり、アルコールや薬物を乱用したり、欲しいものを次々と買ったり、「自分なんてどうなってもいい」と言わんばかりの投げやりな行動を取る。

7　怒りの制御困難、不適切な怒り

さまざまな場面で、些細なことでひどく怒る。周囲も困惑するが、自分でも抑えがきかず後悔することが多い。

8　自殺に関する行為、自傷

「死ぬ」と周囲を脅したり、自傷のそぶりを見せたり、リストカットを繰り返したりする。多くは自殺未遂に終わるが、境界性パーソナ

怒りの制御困難

リティ障害の8〜10%は実際に自殺で亡くなる。人々から距離を置かれたり、責任が増大したりして、心理的にストレスが溜まったりするととくに起きやすいが、状況はさまざまである。なかには、解離しているときに、自殺を図るケースもある。

9　妄想様観念や解離症状

状況や気分に関連した妄想を一時的に抱くかも知れない。現実感が薄れたり記憶があやふやになったりするかも知れない。

医療現場での対応

薬物治療の対象ではない。症状に応じた薬がいくつか用いられることがあるが、薬に期待しすぎるべきではないし、衝動的に薬をまとめ飲みする危険性には注意を要する。

より安定した生活を目指して、精神科医による精神療法や心理師によるカウンセリングが行われる。

ネガティブな気持ちの過敏さや激しい反応の生じやすさにつき、日頃から自ら気づく能力を高め、その上でネガティブな感情への対処能力を高めることが重要である。

自分はすごいと思いたがる傷つきやすい人たち（自己愛性パーソナリティ障害）

英語名「narcissistic personality disorder」。パーソナリティ障害3つの分類のうち、トラブルの多いB群に属する。

特権意識が前面に出て偉そうな態度を取る「誇大型自己愛傾向」と、批判に傷つきやすい「過敏型自己愛傾向」がある。

50～75％は男性である。

自己愛性パーソナリティ障害自体を主訴に医療機関を受診する人はほとんどおらず、自己愛が傷つけられた結果としてのうつや、抑えがたい怒りなどに苦しんで受診するケースが多い。

薬物治療の対象ではないが、うつなどの対症療法として投薬が試みられることはありうる。ただ、自己愛性パーソナリティ障害によるうつなら、効果は定かではない。

「自己愛性パーソナリティ障害」の人たちに起きていること

次の9つの症状のうち、5つ以上あてはまると自己愛性パーソナリティ障害と診断される。

1　自分が重要な存在だという誇大な感覚

業績や才能を誇張したり、周囲から「すごい」と思われることを期待したりする。

2　現実よりも概念にとらわれる

成功、権力、才気、美しさ、理想的な愛などの空想にとらわれている。

3　自分が特別、独特だから……という評価

特別な人や地位の高い人でないと自分のことは理解できないし、自分は特別な人や地位の高い人とつながりがあるべきだと思っている。「一般人の

ものさしで俺のことがわかるはずはない」「プロのサッカーチームなら俺のテクがわかるよ」といった具合だ。

4　過剰な賛美を求める

賛美を望み続ける。

5　特権意識

特別なはからいや、自分が望めば相手が自動的に従うことを期待する。「俺なら顔パスだよ」「口に出さなくてもわかるでしょ」などと言う。

6　人を不当に利用する

自分自身の目的達成に他人を利用することに迷いがない。

7　共感の欠如

他人の気持ちや欲求を認識しようとも、気づこうともしない。自分の気持ちに注意が向いており、ほかの人がどう思っているか、どうしたいのかに、興味も関心も示さない。

8　他人に嫉妬する、または嫉妬されていると思う

「俺のほうがすごいのに」と嫉妬したり「俺って嫉妬されているよな」と思ったりするなど、「嫉妬する・嫉妬される」の文脈に敏感になっている。

9　尊大で傲慢な態度

非常に偉そうにふる舞う。

「嫉妬する・嫉妬される」の文脈に敏感

過剰な賛美を求める

尊大で傲慢な態度

共感の欠如

こうした症状を示すものの、自己愛性パーソナリティ障害の人の「自信」とは、期待が先行した空想的なもので、現実に根ざしてはいない。そのため、自己評価とは異なる批判も受ける。ところが、そもそも過敏で傷つきやすいため、批判に遭ったり、挫折したりすると自尊心がひどく傷つけられ、強いストレスを感じる。

激怒し、「あんなやつ、全然ダメだから、俺のことがわかるはずがない」と、相手に軽蔑を加える攻撃性が生じうる。

治療者も難しく感じる接し方

医療機関を受診するのは、自己愛性パーソナリティ障害を疑ってではなく、自己愛が傷つけられたために起きるうつや、抑えがたい怒りが理由である。

そこで、薬で治りにくいうつ病、反復して起きるうつ病の原因に、自己愛性パーソナリティ障害があることの説明が必要となる。

自分が批判されていると感じれば、治療を中断しかねず、本人が受け入れられる範囲で診断を少しずつ共有していくこととなる。

特別扱いを求めてくることもある。「君は最高だ」などと理想化したり、逆に「おまえなんてダメだ」と非難してくるケースもある。こうした理想化や批判はほどほどに引き受けながら、付き合っていく必要がある。

注目を集め続けないといられない人たち（演技性パーソナリティ障害）

英語名「histrionic personality disorder」。パーソナリティ障害3つの分類のうち、トラブルの多いB群に属する。周りの人の注目を集めずにいられない障害で、過剰で不自然な振る舞いをし、うまく人間関係が築けない。有病率2％弱と、50人に1人の割合で存在すると考えられる。男女差は見られない。

あるときからの人格の変化ではなく、若い頃から一貫してあるもので、成人早期までに症状が出始める。

本人は、幻覚、視覚的イメージの侵入などを訴えることが多いが、薬物による治療の対象ではない。

直感的で衝動的な対人関係が収まってくれば、次第に自らの内的体験や外的体験、過去の体験などについて、現実に即した形で語れるようになる。「自分は悲劇的犠牲者だ」という受け身の図式ではなく、「自分が自分の人生の主役である」と、世界に対する能動性、主体性を獲得してもらうことが非常に重要である。

「演技性パーソナリティ障害」の人たちに起きていること

次の8つの症状のうち、5つ以上があてはまると演技性パーソナリティ障害と診断される。

1　注目の的になっていないと楽しくない

注目されたいがために、出会った人に対して情熱的に振る舞ったり、媚びを売ったりする。自分に注意を向けさせるためにつくり話をしたり、騒動を起こしたりと、劇的なことをしがちである。

2　不適切な交流

他者との交流は、しばしば不適切なほど性的に誘惑的なもの、または挑発的な行動で特

注目されたい

徴づけられる。

3　外見の不適切な利用

他者の関心を引くために、身体的外見を用いる。自分の容姿を他者に印象づけることに熱心で、服装や化粧などに多くの労力と費用を投入する。

4　浅薄で素早く変化する情動表出

笑っていたと思ったら、急に怒り出したり、悲しんだりする。その様子は演技じみているので、周囲からは「また始まった」と思われがち。

5　浅薄で過剰な話し方

過度に印象的な話し方をするが、その内容は薄い。

6　自己演劇化

芝居がかった態度、誇張した情動表現をする。ちょっとした知り合いなのに、急にハグしたり握手したり、会えたことに感動してみせたりと大げさなリアクションを取る。

服装や
化粧などに
多くの労力と
費用を投入

7 被暗示的

他人や環境、流行の影響を受けやすく、他者の言うことを軽々しく信じる傾向にある。感情のみならず、述べる意見も、そうした要素に左右される。

8 対人関係の誤った評価

ある人との関係を、実際以上に親密なものと思い込む。すぐに、「あの人とは親友だ」などと言う。

演技性パーソナリティ障害の人は他者に、「自分の気持ちを汲み取って広く理解してくれるものだ」という幻想と期待を持っている。そこで、「私だからといって、あなたの気持ちがわかるわけではない」という姿勢で、その人自身の感情や考えなどについて、「行動ではなく言葉で表現することがとても大事だ」と繰り返し伝えていく必要がある。

自信が持てず不安で引っ込み思案な人たち（回避性パーソナリティ障害）

英語名「avoidant personality disorder」。パーソナリティ障害3つの分類のうち、不安に関係するC群に属する。

有病率2・4％と決して珍しいものではなく、男女比もほぼ半々である。

「回避性」とあることから、「あれもやだ、これもやだ」とさまざまなことを嫌がり避ける印象を持たれるかも知れないが、そうではない。不安に左右されるあまり、引っ込み思案になってしまう障害だ。

回避性パーソナリティ障害は、社交不安症（82ページ参照）との関連が深い。そのため、かつては、社交不安症の重症例が回避性パーソナリティ障害と考える向きもあった。

社会の中での生きづらさを抱え、うつ病や適応障害の背景に、回避性パーソナリティ障害があることも多い。

「回避性パーソナリティ障害」の人たちに起きていること

次の7つが主な症状として挙げられ、そのうちの4つ以上があてはまると回避性パーソナリティ障害と診断される。

1 批判、非難、拒絶を恐れ、重要な対人接触のある職業的活動ができない

大事な仕事を任されそうになると、「失敗して何か言われるのではないか」などと考えてしまう。そのため、昇進もしたくない。

2 好かれていると確信できなければ関係を持ちたがらない

「あの人は私のことを好きではないかも知れないし……」と心配しては、友だちづくりに

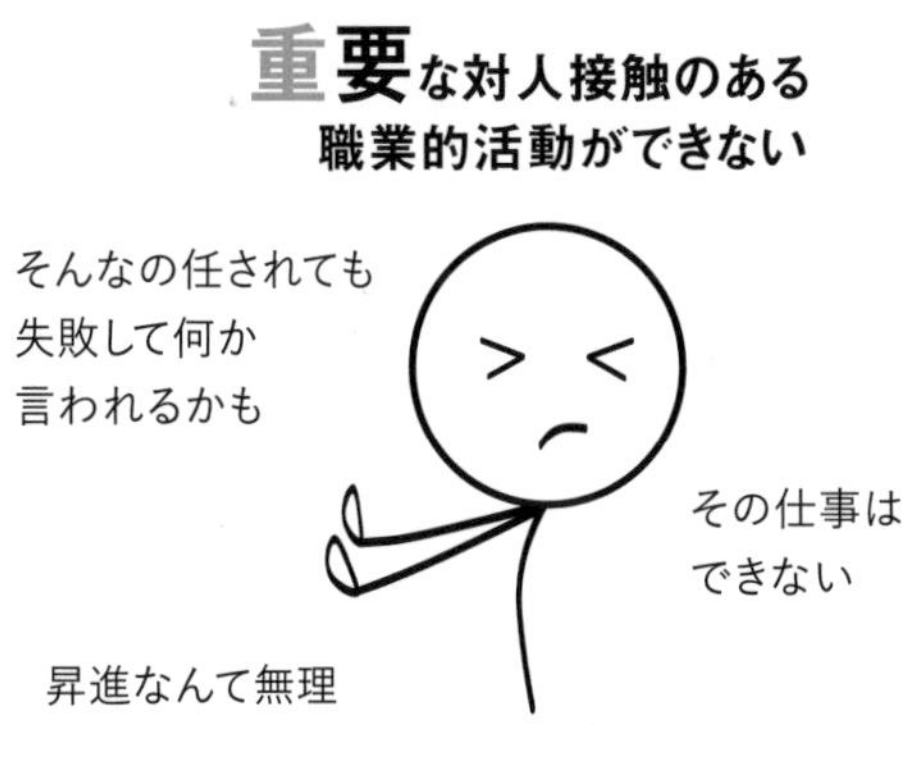

重要な対人接触のある職業的活動ができない

困難が生じる。好きな異性への告白はなおさら困難なものになるだろう。

3 恥をかくことや嘲笑されることを恐れ、親しい関係でも遠慮がち

ある事案について、「どう思う?」などと問われても、自己主張できず「君の言う通りだと思うよ。とくに言うことはないよ」とおどおど同調するだろう。

4 社会的な状況で批判、拒絶されることに心がとらわれている

人と話をしているときに、「違うと言われたらどうしよう」「嫌われるかも知れない」ということばかりを気にしている。

5 不全感により、新しい対人関係状況で抑制が生じる

「私なんかダメな人間だから」という思いから、「受け入れてもらえるはずがないから話しかけるのはやめておこう」と自分を抑えがちになる。

6 自分は社会的に不適切で、人間として長所がなく、ほかの人よりも劣っていると思う

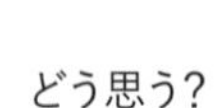

親しい関係でも
遠慮がち

君の言う通りだと
思うよ
とくに言うことないよ

「どうせ私なんて」という思いが常にある。

7　恥をかくのを恐れて、リスクを取ること、新しい活動を始めることに異常なほど引っ込み思案である

「恥をかくかも」「失敗するかも」という思いが頭をよぎり、新しいことを始められずに今まで通りの生活を続ける。

このように、「馬鹿にされるんじゃないか」「笑われるんじゃないか」と絶えず恐れている本人に対し周囲は、非難されている感覚を持たせないように注意しなければならない。

その人が何かにつけ不安に思ったり回避したりするのも、周りから見ておかしいことでも変なことでもなく自然なことだと伝えた上で、「遠慮しないほうが周りも付き合いやすい」とアドバイスをするといいだろう。

就労を始めるときには、回避しすぎず、過度な負担にならない範囲で考える。失敗はなるべくさせないほうがいいが、チャレンジはさせるべきである。

どうせ
私なんて…

ほかの人よりも
劣っていると思う

自信がなさすぎて、人に頼らざるをえない人たち（依存性パーソナリティ障害）

英語名「dependent personality disorder」。自信がなさすぎて、絶えず不安で、何事も人に頼らざるをえなくなる障害である。

パーソナリティ障害3つの分類のうち、不安に関わるC群に属する。

「依存性」とあるが、いわゆる「依存症」とは異なる。たとえば、アルコール依存症の併発率は、（統合失調型パーソナリティ障害を除くと）ほかのパーソナリティ障害よりも低い。依存性パーソナリティ障害は、依存症よりもむしろ不安症との関係が深い。

薬物治療の対象ではなく、精神療法や心理療法が行われる。ただ、併存するうつ病や不安症があれば、抗うつ薬が使われることもあるだろう。

「依存性パーソナリティ障害」の人たちに起きていること

次に挙げたような8つの症状のうち、5つ以上があてはまると依存性パーソナリティ障害と診断される。

1　**誰かに助言、保証してもらわないと、日常的な物事ですら自分で決められない**

いつも「どうしたらいいの?」と人に聞き、不安で仕方ない。

2　**誰かに責任を持ってもらわないと、ほとんど何もできない**

「僕が責任を持つからやってごらんよ」などと背中を押してもらわないと、自分の責任では物事をこなせない。

3　支持や是認を失うのを恐れて、人に反対意見を言えない

違う意見を持っていても、「君の言う通りだと思うよ」などと人の意見に乗っかるしかない。

4　判断や能力に自信がなく、自分の考えで計画・実行できない

自信がなくて自分では何もできない。

5　人の世話、支えを得ようと、嫌なこともやりすぎてしまう

「荷物くらい持つよ。僕は荷物を持つのが好きなんだ」などと、自分から進んで嫌なことも引き受けてしまう。

6　自分では何もできないのではないかと過度に恐れる

1人になると強い不安や無力感に襲われ

る。

7　**誰かにすがっていないといられない**

誰かと親密な関係が終わると、代わりに世話を焼いてくれる人、支援してくれる人を必死で追い求める。

8　**孤独になって何事も自分でしなければならなくなることを、非現実的なまでに恐れる**

実際には孤独になることなどないのに、そうした考えに苦しむ。

細かいことに
とらわれすぎる人たち
(強迫性パーソナリティ障害)

英語名「obsessive-compulsive personality disorder」。パーソナリティ障害3つの分類のうち不安になりやすいC群に属する。強迫症(88ページ参照)を伴うことが多い。

ある形式にとらわれすぎて「適宜」「臨機応変」という行動が取れない。物事に柔軟に対応できないため、仕事などで不適応が起きやすい。たとえば、完璧を目指しすぎて仕事が終わらなかったり、完璧主義を周囲に押しつけて軋轢が生じたりする。

薬物治療の対象ではない。行動を分析し、完璧主義が生活に及ぼしている悪影響を本人と確認しつつ、完璧主義的行動を減らしていくように指示する。それによって不全感はあっても、実際には問題は生じないばかりか、物事がうまく進むことを実感することが大事である。

「強迫性パーソナリティ障害」の人たちに起きていること

以下に挙げたような8つの症状のうち、4つ以上があてはまると強迫性パーソナリティ障害と診断される。

1　**活動の主要点が見失われるほど、細目、規則、順序、構成、予定表にとらわれる**
細目、規則、順序、構成、予定表などを確認するために多くの時間を費やしすぎる。周囲にもそれらの遵守を求めて困らせる。

2　**完璧主義すぎて、課題の達成の妨げになる**
自分の完璧な基準をクリアできずに課題が終わらなかったり、書類を書くにも完璧を目指すがゆえに時間ばかりかかりかかったりしてしまう。レポート

時間を費やしすぎたり
周りを困らせたりしがち

の提出などが間に合わないこともよくある。

3　**経済的な理由もないのに仕事と生産性にのめり込みすぎ、娯楽や友人関係を犠牲にする**

お金に困って必死に働くのではなく、仕事を完璧にこなすことにのめり込む。娯楽や友人と過ごすことにあてるのは「時間がもったいない」とばかりに、仕事や勉強にのめり込む。

4　**道徳、倫理、価値観の点で、過度に誠実で良心的で融通が利かない**

誰かに必死に頼まれても、「ダメです」などと、にべもなく断る。自閉スペクトラム症のかたくなさと似ており、誤診されかねない。

5　**感傷的な意味がなくても、使い古したものや価値がないものを捨てられない**

愛着があるからではなく、「これはいつか使うかも」「ちょっとだけでも価値があるかも」と思うことでガラクタでも捨てられず、部屋がいっぱいになる。

6　**自分のやり方通りでないと人に仕事を任せられないし、人と一緒に仕事ができない**

ほかの人が、その人なりのやり方でやっていることを見過ごせない。「そんなやり方じゃダメだ。だったら僕がやるよ」と取り上げてしまうので、チームでの仕事が難しい。

7　**自分のためでも他人のためでも金銭的にケチ**

他人のためだけでなく、自分のためにもお金を使いたがらない。常に不安な気持ちを持っているため、お金は将来何か起きたときのために貯め込んでおくべきだと思っている。

8　非常に頑固で堅苦しい

真面目で形式的で、道徳的な原則にこだわり頑固である。

こうした症状を示す強迫性パーソナリティ障害の人には、たとえば、書類作成に完璧を求めていても、決めた時間がきたら作業を終えることに挑戦するといいだろう。本人としては不全感を抱くが、それに徐々に慣れることを目指す。そして、不全感はあっても、作業が遅れなかったり、周囲との軋轢が減ったりといった良い影響があることも確認する。中途半端に思える仕事をすることに、プラスの意味があったことを確認し、そうした経験を増やす。

不注意だったり落ち着かなかったりする人たち（ADHD）

こだわりの強い人たち（自閉スペクトラム症）

アスペルガー症候群の家族に起こること（カサンドラ症候群）

近年、「発達障害」という概念が広く急速に認識されつつある。発達障害はひとつの障害ではなく、主なものとして、ＡＤＨＤ（注意欠如・多動症）、自閉スペクトラム症（広汎性発達障害、自閉症、アスペルガー症候群）、学習症があり、ほかにチック症、吃音なども発達障害の一種である。

不注意だったり
落ち着かなかったりする人たち
（ADHD）

英語名「attention deficit-hyperactivity disorder」。この頭文字を取ってADHDと称される。また、注意欠如・多動症とも言われる。その名の通り、不注意が甚だしいか、著しく落ち着かないか、いずれか、または両方の特徴を持つ。

不注意性か多動性のどちらか、あるいは両方が子どもの頃から見られ、大人になるとやや落ち着いてくる傾向にある。ただ、多動は成長に従い消失しやすいのに対し、注意の欠如は大人になっても残存することが多く、仕事などで苦労しがちである。

学童期の子どもの5％前後が該当し、その段階では男子が女子の3～5倍多い。成人してからもおよそ2・5％がADHDの診断にあてはまるものの、その頃には男女比はほぼ同等となる。

ADHDの人たちに起きていること・困っていること

DSM-5では、ADHDの特性として、次のような項目を挙げている。

- 指示に従うことの困難
- 精神的努力の継続の困難
- 不注意で間違う
- 注意集中を保てない
- 順序だてられない
- 気が散る
- 物を紛失する
- 話を聞いていない
- 忘れっぽい
- 喋りすぎる
- 人の邪魔をする

・余計なことをする
・静かに過ごせない
・じっとしていられない
・座っていられない
・順番を待てない
・モジモジそわそわする
・質問が終わる前に回答する

こうした項目を、具体的に不注意性と多動性の側面から検討すると、とくに子どものときに次のような症状が見られる。

まずは不注意性の症状とは？

・集中力が続かず、気が散りやすい

授業を座って聞くことが苦手。物音がしたり、何かが視界に入ってきたりするとそちらに気を取られて集中できない。

・**精神的努力の継続困難**

宿題をやり通したり、勉強を続けたり、レポートなどを完成させたりすることが苦手。

・**指示に従えない、順序だてられない**

先生の指示に従えずに余計なことをする。また、物事の段取りを考えたり、それに沿って行動したりすることが苦手。

・**人の話を聞いていない**

人の話を上の空で聞く。聞いても右から左に流してしまう。あるいは、スマホなどをいじりながら聞き、話を聞いていないように見えても、何らかの刺激があったほうが、少しでも聞くことに集中できていることもある。

・**忘れっぽい**

そもそも言われたことが頭に入っていないか、入ったけれど忘れてしまうか、覚えていたけれど他のことに気が散って忘れてしまうか、いずれにしても忘れっぽい。

・**間違いが多い**

テストであれば「誤っているものを選べ」と書いてあるのに正しいものを選んでしまったり、「2つ選べ」と書いてあるのにひとつしか選ばなかったりするなどケアレスミスが多い。

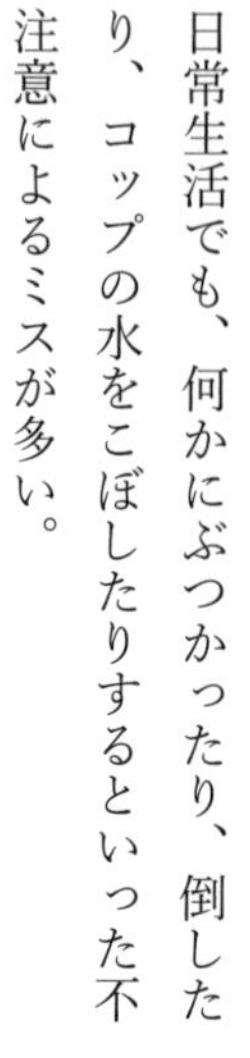
日常生活でも、何かにぶつかったり、倒したり、コップの水をこぼしたりするといった不注意によるミスが多い。

・物をよく紛失する

財布、メガネ、鍵、スマホ、鞄……どこかに置いて、そのまま忘れてしまう。

次に多動性の症状とは？

・離席

座っていられずに授業中などに歩き回る。

・モジモジそわそわ

お葬式など静かにじっとしていなければならない場面でも落ち着かずモジモジしたり貧乏揺すりしたり体を動かす。

・静かに過ごせない

じっとしていられず、やたらと走り回るなど何か余計なことをする。

・順番を待てない

列に並ばずに横入りしたり、そもそも列に並ばず他のことをしていたりする。

・喋りすぎて人の邪魔をする

自習時間などに人に話しかけて邪魔をする。人が話していてもそれを聞かず、自分ばかりが喋り続ける。

・質問が終わる前に答える

人の質問を最後まで聞かずに答える。授業では、挙手して先生に指名されることを待たずに答えを勝手に言ってしまう。

ADHDの支援や治療

ADHDがある人は、その特性に合わせた生活を身に付けたほうがいいだろう。すべきことを忘れたり、聞いたはずのことを忘れたりしがちなので、すべきことのリスト（ToDoリスト）をつくったり、小まめにメモ帳に記録したりする。

注意集中しづらいため、勉強する際には壁に向かった席にしたり、視界を遮るついたてを立てたりして目に入る刺激を減らし、学校での席は最前列にして黒板や先生以外が目に入りづらい環境を準備する。長い時間、勉強に取り組むのは苦手であり、短時間で区切って小まめに休憩を入れるといい。

アトモキセチン、グアンファシン、メチルフェニデート、リスデキサンフェタミンといった薬で症状を緩和することもある。

こだわりの強い人たち（自閉スペクトラム症）

英語名「autism spectrum disorder」。この頭文字を取ってASD、あるいは自閉症スペクトラム障害とも称される。発達障害の代表格で、100人に1人くらい存在すると言われているが、広く取ればもっといるかも知れない。

自閉スペクトラム症は、成長の過程で明らかになる。保育園や幼稚園で集団行動に問題があったり、小学校でより高度なコミュニケーションが求められたりして気づくことが多い。中学や高校で場合によっては社会人になってからわかるケースもある。

病気と言うより
その人の特徴と
言えるでしょう

自閉スペクトラム症とはどんなもの？

そもそも、「自閉スペクトラム」という概念は昔からあり、その特性として「社会性の障害」「コミュニケーションの障害」「イマジネーション（想像力と思考の柔軟性）の障害」の3つがウイングという児童精神科医によって指摘され、「ウイングの三つ組」と呼ばれた。

さらに、古い診断基準のDSM‐Ⅳでは、知的な障害を伴わない「アスペルガー障害」、知的な障害を伴う「自閉性障害」、特定不能な広い概念の「広汎性発達障害」と分類されていた。

そして、DSM‐5の基準では、「自閉スペクトラム症」とひとまとめにされており、「コミュニケーション障害を主としたA群（非言語コミュニケーションの欠陥、仲間づくりの欠陥、交流の欠陥）」のすべてと、「こだわりの強さに関わるB群（興味の狭さ、感覚の異常、儀式・ルーチン、常同・反復行為）」の2つ以上が見られるときに診断が下される。

自閉スペクトラム症の子どもの特徴

具体的に、自閉スペクトラム症の子どもにどんな症状が見られるかについては、以下のようなことが挙げられる。

・特定の感覚刺激について、好んだり、嫌がったり、鈍かったりする

服の内側に付いているタグの感触を不快がったり、小さなベルの音が耳障りで仕方なかったりする。また、転んで膝をすりむいても、体が冷え切っていたり熱を持っていても気づかずに、体調を崩す人もいる。

・興味が偏る

事実を頭に叩き込むようなことが好きで、たとえば、鉄道分野などに強い興味を示しがち。スケジュール通りに動く鉄道の時刻表を覚えたり、路線図や駅名を覚えたりすることが得意である。

・ルールにこだわる

ルール通りにしないと気が済まないし、他の人もルール通りでないと気が済まない。

・スケジュールやルーチンにこだわる

「何時になったら○○をする」「○○するときにはこの順番でなくてはならない」ということが決まっていて、その縛りから離れられない。

・予定変更に弱い

スケジュールを乱されるのが苦手で、臨機応変に行動できない。

・**常同的行動を取る**

たとえば、積み木を与えれば、建物を組み立てるのではなく、床にならべ続けたりする。ミニカーは、走らせて遊ぶよりもならべる。あるいは、ひたすら車輪を回し続けるなど同じことを繰り返す。

・**共同注意が乏しい**

人が指さすものを見たり、自分が何かを指さしたりすることが少ない。誰かが上を見ていれば、ほかの人も上に注意を向けるのが一般的だが、そうした注意を人と共有しない傾向にある。

・**非言語コミュニケーションが苦手**

表情、ジェスチャー、視線などをうまく使えない。

・**クレーン現象**

何かしてほしいときに、目的の物まで人の手を引っ張っていく。たとえば、テレビのチャンネルを変えたいときに、親の手をリモコンのところへ持って行こうとする。これは、要求を適切に伝えられないことが原因で起きる。主に子どもで生じる。

・**逆さバイバイ**

手のひらを自分のほうに向けてバイバイする。人がバイバイするのを見てまねるときに、その人の手のひらが自分のほうに向いていることから、自分でバイバイするときも手のひらを自分に向けてしまう。

・コミュニケーションを場に合わせられない

たとえば、戸外で離れた人と話すには大きな声を出さないと届かないが、図書館では静かに話さねばならないということがわからない。先生には敬語で、友だちにはタメ語で話すという区別もつきにくく、同級生にもいつまでも敬語を使うなどする。

・省略された言葉、代名詞が苦手

日本語は主語を省きがちだが、そんな文の文脈がわからない。代名詞が指す事柄も理解しづらい。

・同音異義語に弱い

慎重、身長、新調、伸張、深長……などといった同音異義語について、一般的には文脈や行間を読みながらどれかを理解しているが、そうしたことが苦手である。

・文字通りに受け取りがち

比喩が苦手だし、嫌みは通じにくい。たとえば、ひどく散らかった部屋について「ホントによく片付いているね」と皮肉を込めて言ってみても、きれいだと褒められたと解釈する。

自閉スペクトラム症の子どもにすべき対応

治療薬はない。かんしゃくを起こすようであれば、少量の抗精神病薬が用いられることはある。書籍や講演会などで「発達障害は食事で治る」などと語られたり、高額なｒＴＭＳなどの治療を勧められたりすることがあるが、いずれも無効である。

治すものではなく、すべきことは本人の特性に合わせた生活を身に付けることだ。

自閉スペクトラム症の人にとって「ちょっと待ってて」などの言葉では、その「ちょっと」という曖昧な言葉をほどよく理解することが困難なので、そのような人に何か伝えるときには「5分待ってて」などと具体的に伝えるようにする。言うだけだと理解しづらいことがあれば、紙に書いて渡したり、貼り紙にして伝えたりするといい。

同じ服を着続けたり、同じ道ばかりを選んだりしてしまうなど常同性が問題になることがあるが、本人が許せる範囲でわずかに、あるいは一時的に違う選択を少しずつ試して慣らしていくようにする。

アスペルガー症候群の家族に起こること（カサンドラ症候群）

自閉スペクトラム症の中で、知的な能力に問題がないアスペルガー症候群の家族などが、患者との対応に思い悩むものをカサンドラ症候群と呼ぶ。

アスペルガー症候群の患者は、データ処理は得意だが、人との情緒的な交流は苦手な傾向にある。そのため、家族を主とした周囲の人間が、うつや不安を抱えたり、消化器症状、血圧の上昇、頭痛など心身の不調を訴えることがある。

ただし、カサンドラ症候群は純粋に医学的な用語とは言いがたく、DSM-5の診断基準には出てこない。臨床現場では、その症状によって、うつ病、不安症、適応障害、心身症などと診断される。

カサンドラ症候群という名称は、むしろ、家庭や職場などアスペルガー症候群の患者がいる一般の場で、周囲の人たちが自分たちの状況を理解・表現するために広まっている傾向にある。

典型的な「妻」の苦しみ

自閉スペクトラム症は、女性よりも男性に多い。そのため、患者の伴侶としてカサンドラ症候群に苦しむ人は、必然的に女性に多くなる。

ここでは、アスペルガー症候群の夫を持つ妻という典型例で説明する。

知的な面では問題がなく、むしろデータ処理に秀でる夫は、仕事はきちんとこなしている。しかし、情緒的な交流が困難なため、夫婦として妻が求めるような感情的な交流を欠き、温かい関係が築きにくい。夫には悪気はないのだが、その行動は妻の目には「人の気持ちがわからない」ものとして映る。そして、妻は自分の心が満たされない苦しみを持ち続ける。

また、明らかに問題がある夫のことを周囲にこぼしても、理解してもらえない。夫は社会的にはしっかり活動しているため、「立派なダンナさんじゃないの」「贅沢な悩みだよ」「あなたの考えすぎだよ」などと言われてしまう。これによって、妻はますます孤独感を深め「誰も私のことはわかってくれない」と追い詰められていく。

うつ、不安、胃の痛み、下痢、血圧の上昇、頭痛……など、さまざまな症状が出るが、カサンドラ症候群としての治療法はなく、対症療法が施される。

このように、カサンドラ症候群という名称が広まることは、医学的な意味合いよりも、アスペルガー症候群の患者の周囲にいる人たちが、「ああ、私はカサンドラ症候群なのね」と心の整理をすることに役立つかも知れない。

妻など家族に限らず、職場でも同様に用いられるかも知れない。

医療現場においては、アスペルガー症候群の患者に、家族や周囲の人に対してどう対応したらいいかをアドバイスしていくことなどが求められる。逆に、カサンドラ症候群に苦しむ人には、そもそも患者にどこまで期待していいか、ということも考え整理してもらう必要もあるだろう。

なお、カサンドラ症候群という名称は、ギリシャ神話「トロイの木馬」から来ている。

太陽神アポロンから愛されて「予知能力」というプレゼントをもらったトロイの王女カサ

ンドラは、その予知能力ゆえに、アポロンに捨てられる未来が見えてしまう。そのため求愛を断ると、怒ったアポロンはカサンドラに対し、「おまえの予言は誰も信じない」という呪いをかける。

あるとき、ギリシャ連合軍との戦争が起き、カサンドラにはトロイ王国が滅亡する未来が見えるが、それを誰に言っても信じてもらえない。そして、戦士たちが戦利品として運び込んだ木馬から、隠れていた敵国兵がなだれ込み、トロイ王国は滅ぼされる。

この「誰からもわかってもらえない」というカサンドラの立場に由来しているのだ。

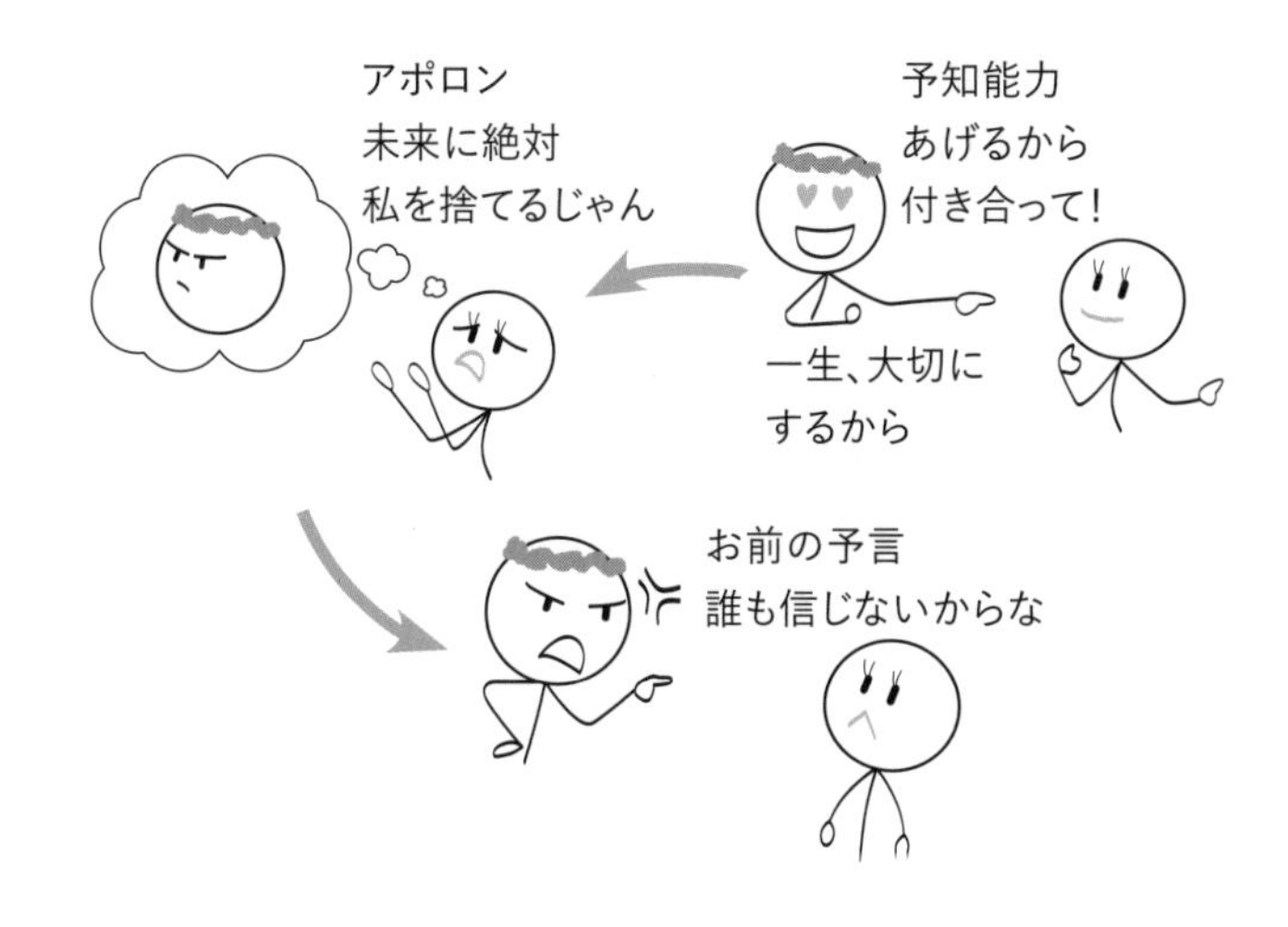

児童・思春期に始まるさまざまな障害

・学習症

英語名「learning disability」の頭文字を取ってLDと呼ばれることも多い。限局性学習症とも言い、知的な問題があるのではなく、「読み・書き・そろばん」のどれか特定のものだけ困難が生じているものである。

「読み（読字・読解）」については、字を読めないレベルから長い文章が理解できないというものまで。発達性ディスクレシアともいう。

「書き（綴り・論述）」は、字を書けないレベルからレポートなど長い文章が仕上げられないというものまで。

「そろばん（算数・数学）」は、単純に計算ができないレベルから数学的な理解が難しいというものまで。

それぞれ、障害の度合いは幅広い。

学齢期に始まるが、学習で要求される能力が、障害のある本人の能力を超えるまでは明らかにならず、周囲が気づきにくいケースもある。

治療ではなく、本人に合わせた支援、できるのであれば本人に合わせた訓練が行われる。

・チック症

突発的に声を発したり、首など体の一部を動かすことを衝動的に繰り返す。自分ではなかなか制御できない。声を出したり鼻をすすったりする「音声チック」と、体を動かしたり瞬きする「運動チック」がある。

こうした症状が1年以上も続き、生活に支障をきたすようだと「トゥレット症」と呼ばれる。トゥレット症の多くは4〜6歳で出現し、10〜12歳で最も症状が強くなる。男子は女子の2〜4倍見られる。

長期的に続くものには、抗精神病薬が用いられることもある。

・吃音

頭ではわかっている言葉がスムーズに発せられない。たとえば、「月」という言葉を発したいときに、「・・・・つき」と最初の音が出てこなかったり、「つーーーき」と最初の音を伸ばしてしまったり、「つつつつき」と最初の音を繰り返してしまったりする。

就学前に生じた場合はほとんどが数年の間に軽減していく。中には長期間、持続するケースもある。治療には言語聴覚療法や認知行動療法などが用いられる。

物忘れをする人たち（アルツハイマー型認知症）

まだら状に認知機能が低下する人たち（脳血管性認知症）

幻覚が見え、歩きづらくなる人たち（レビー小体型認知症）

ゴーイングマイウェイな行動が多い人たち（前頭側頭型認知症）

知的障害は知的な発達が充分に得られず、子どもの頃から問題が生じるのに対し、認知症は一度は得られた認知機能が、高齢になってから損なわれるものである。

認知症では生活の自立に困難が生じるが、その前段階の軽度認知障害（ＭＣＩ）の場合、工夫することで何とか生活の自立は保たれている。日本には約3000万人の高齢者がおり、認知症が約460万人、ＭＣＩは約400万人とされている。

物忘れをする人たち（アルツハイマー型認知症）

認知症の代表格で、患者数も最も多い。男性よりも女性に多い。

認知機能には、情報を頭に入れる「記銘」、それをキープする「保持」、必要なときに引っ張り出す「想起」の3つの要素があるが、アルツハイマー型認知症ではとくに記銘の機能が低下する。そのため、古いことは覚えていて昔話はするものの、新しい物事を覚えられなくなり、最近のことは思い出せない（思い出すも何も、そもそも頭に入っていないのだ）。初期症状として、ちょっと物を置いたら、それがどこにあるかわからなくなったり、約束や予定を忘れたり、物の使い方がわからなくなったりする。

認知機能全般が低下するので、場所・人物・時間などがわからなくなる「失見当識」、計画を立て物事を遂行することができなくなる「遂行機能障害」、ATMの使い方や自転車の乗り方などがわからなくなる「手続き記憶の障害」、服をきちんと着られなくなる「着衣失行」、物をしまった場所を忘れ、盗まれたと思い込む「物盗られ妄想」など、さまざまな症状が現れる。徘徊して、家に帰れなくなるのもありがちな症状だ。

アルツハイマー型認知症の患者の脳をMRIやCTで撮影すると、脳全体の萎縮が見られる。とくに、側頭葉内側部、記憶に関わる海馬などの萎縮が目立つ。頭頂部の萎縮があれば、空間把握が困難になり道に迷いやすくなる。

原因としては、20年以上にもわたって、アミロイドβという物質が脳に徐々に蓄積され、その結果、タウタンパクという異常なタンパク質が凝集していくことが挙げられる。タウタンパクの凝集に伴い、緩やかに確実に症状は進行していく。

アルツハイマー型認知症の診断には、認知機能低下の確認、頭部MRIやCTでの脳の形の確認、SPECTという検査による脳の血流の確認などの手続きが必要となる。

アミロイドβが蓄積
タウタンパクが凝集

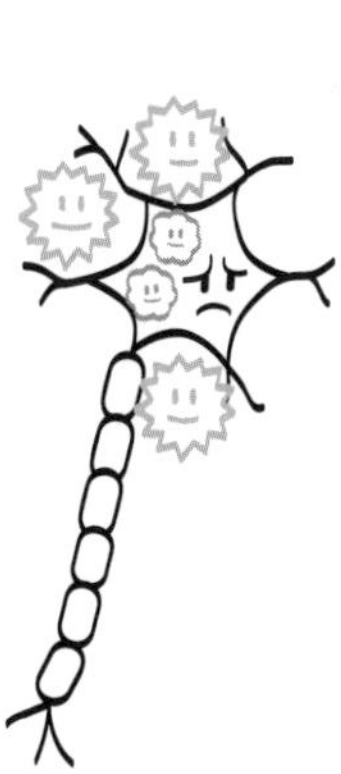

まだら状に認知機能が低下する人たち（脳血管性認知症）

アルツハイマー型認知症に続いて多いのが、脳血管性認知症である。脳の血管が詰まる脳梗塞、脳の血管が切れる脳出血は、大きな血管で起きれば直ちに命に関わる大問題となる。一方で、小さな血管で起きれば、「無症候性」と言い、目立った症状はない……しかし、目立たないだけである。小さな小さな脳梗塞や脳出血が繰り返し起きることが原因となる認知機能低下が脳血管性認知症である。

そして、気づかぬうちに、脳の血管がいくつも詰まったり破れたりすることで、そのたびに徐々に認知症が進行する。これを「階段状の進行」と言う。

こちらのパターンは、MRIなど画像検査を行わない限り、脳血管障害が認知症の原因となっていることは証明できない。

いずれにしても、脳血管性認知症では、脳の深いところで障害が起きていれば、知識や機能の連絡がうまくいかず、思考はゆっくりしたものになり物事の遂行能力も落ちる。

また、新しいことを覚えられないというよりも、思い起こすことが難しい想起障害がよく見受けられる。

そのほか、病変が起きた部位によって、歩行障害、運動麻痺、感覚障害、排尿障害、視覚障害、めまいやふらつき、頭痛、うつ、不安、意欲の低下など、さまざまに異なる症状が出現する。

そのため、できることとできないことがまだらに存在するので「まだら認知症」とも言われる。

糖尿病、高血圧、高脂血症などの持病がある人はリスクが高くなり、男性に多い。

脳の血管が詰まったり破れたり

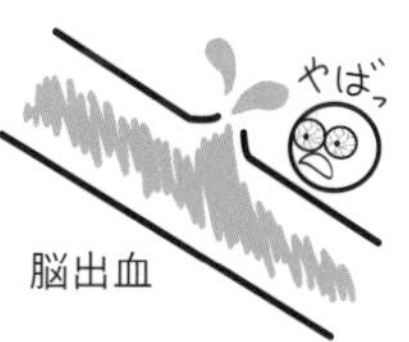

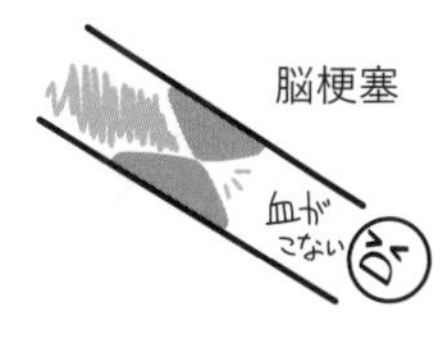

血管病変の場所の違いによって症状はさまざま

あれはできるけど
これはわからない

幻覚が見え、歩きづらくなる人たち（レビー小体型認知症）

αシヌクレインという異常なタンパクが脳に蓄積し、神経細胞の中にレビー小体という特殊な構造物ができることが原因となる。認知機能障害に加え、幻視をよく伴い、パーキンソン症候群が現れることもある。

認知機能障害では、記憶障害、注意障害、処理速度の低下、遂行機能障害などが起きる。そのため、やっていることや受け答えが見当違いでちぐはぐになりやすい。

認知レベルには変動があり、日単位、週単位、月単位で良いときと悪いときがある。こうした変動がありながら、徐々に進行していく。

幻覚の中では、とくに幻視が多い。人や生き物が家の中に入ってくるのが見えるのが典型パターンで、現実的で詳細な内容が繰り返し幻視となって現れる。

幻聴が生じることもあるし、見えも聞こえもしないけれど存在を感じる「実体意識性」、壁のシミや模様といったものが顔などに見える「パレイドリア」を伴うこともある。

妄想としては、配偶者が浮気をしていると思い込む「嫉妬妄想」、家族が偽物にすり替わっていると思い込む「カプグラ症候群」、家の中に人がいると思い込む「幻の同居人」といったものが多い。

パーキンソン症候群としては、脱力した状態で他者が体を動かす際（例：肘の曲げのばし）、抵抗感が感じられる「筋強剛」、手が震える「静止時振戦」、ゆっくりとしか動けない「動作緩慢」などが見られる。

パーキンソン症候群が現れていなくても、わずかな量の向精神薬の副作用として「錐体外路症状」（68ページ参照）が強く出てしまうことがある。

そのほか、便秘、立ちくらみ、尿失禁など自律神経症状、姿勢保持が困難なことや立ちくらみによる転倒、失神や一時的な無反応、いつもウトウトしている過眠、うつやアパシー（やる気も元気もなく、無感情、無関心）が見られることがある。

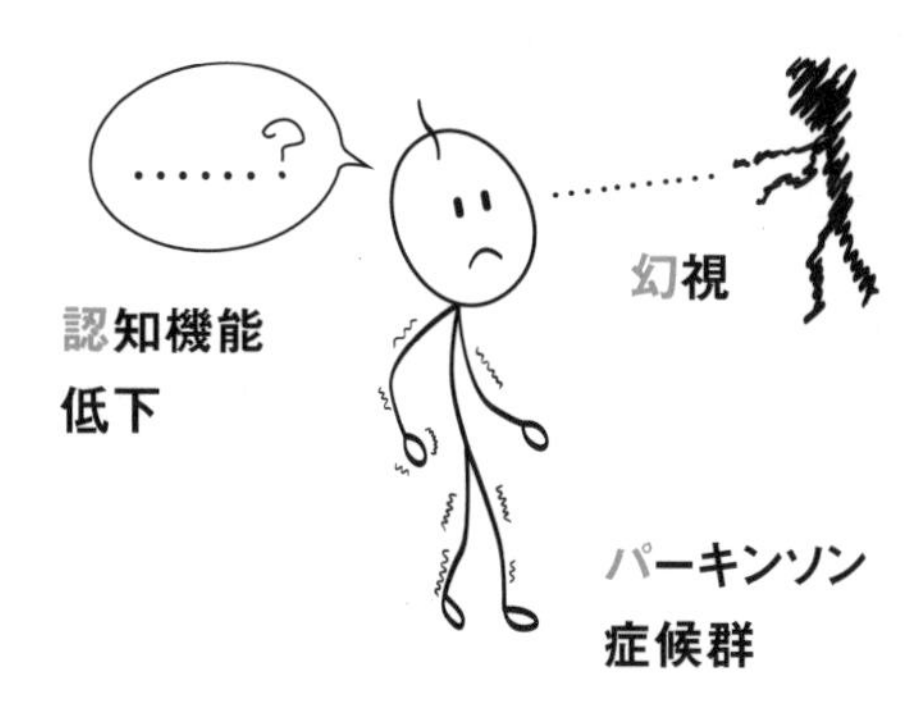

ゴーイングマイウェイな行動が多い人たち（前頭側頭型認知症）

認知症のなかでは、比較的若年（初老期）でも起きやすい傾向にある。脳にタウタンパクやTDP43という物質が蓄積することが原因となる。神経細胞に「ピック球」がつくられることもあり、「ピック病」とも言われる。

人格変化、常同性、脱抑制、衝動行為、ゴーイングマイウェイ的な行動など、行動面の異常が多く見られるのが特徴だ。かなり進行してからでなければ、物忘れなどの記憶障害は起きにくい。

同じ行動を続ける「常同行為」、同じ言葉を繰り返す「常同言語」、同じ文をオルゴールのように繰り返す「滞続言語」、違う刺激にも同じ応答を続ける「保続」、スケジュール通りに同じ時間に同じ行動を取る「時刻表的行動」、いつも同じコースを辿って帰ってくる「周徊」などが見られる。

最も懸念されるのがゴーイングマイウェイ的な行動で、万引き、暴力、無礼な言葉、性的な発言などの「脱抑制」、人の質問などに考えようともせずに即答する「考え無精」、話の途中でもふとどこかへ行ってしまう「立ち去り行為」など、自分を抑えることなく好き勝手にさまざまな問題行動を起こしてしまう。

そのほか、おうむ返しに言葉を発する「反響言語」、看板の文字など見たものを読み上げる「強迫的音読」、共感性の欠如などもありうる。

なお、前頭側頭型認知症のひとつに、「意味性認知症」があり、このタイプでは言葉に障害が出る。とくに、言葉の意味がわからなくなる「語義失語」が生じやすい。

一般的に、言葉が出てこないと話がよどみがちになるが、意味性認知症では、「あれ」「それ」など代名詞を多用しながらもペラペラ喋る傾向にある。

ピック病

人格変化
常同性 時刻表的行動
脱抑制 衝動行為
など

Column 語り始めた当事者たち

精神障害を持つ当事者として自らの経験を語っているVTuberの1人に、有名な「もりのこどく」さんがいる。

彼女は、統合失調症という困難な病気にかかりつつも、自分の病気について勉強し、きちんと治療し、その経過を広く公表している。もちろん、快調なときばかりではないだろう。不調の波に襲われることはあっても、そうしたことも含めて伝えてくれるからこそ、見ている人たちは真の理解を得られるのだ。彼女の声は、語りかけるように優しく、またポップでかわいらしくて、統合失調症の患者は「避けるべき対象」ではないことを充分にわからせてくれる。併せて、統合失調症などの精神障害者に対し、世の中がどんな援助をしていけばいいのかについて理解するためのヒントも与えてくれている。

ピアとしての存在

彼女の行動は、本人が意識しているかどうかにかかわらず、統合失調症の当事者たちの代表として、一般人の認識を良い方向に変える役割を担っている。と同時に、「ピア」としての存在意義も持っている。ピア（peer）は同僚、仲間、対等者などという意味を持つ言葉だが、ここでは「同士」とでも言ったほうがいいだろうか。

精神疾患の治療の現場では、基本的に主治医が病状の説明や指導を行っているが、看護師、薬剤師、精神保健福祉士などが専門的立場からアドバイスをすることで、より患者の理解は深まる。

同じように、「当事者」が体験やノウハウを語ることによって、理解が深まることはもちろん、治療への抵抗感が軽減されるという利点がある。

さらには、彼女の活動は、統合失調症を抱えながらより良く生きるという面において、自らにも影響している。

多くの視聴者に今の自分の状態を見せ、今後について公言することは、逃げることなく治療を続けるモチベーションとなっているはずだ。また、人に説明することで、自分の病気への理解はさらに深まる。

こうして彼女の活動は、一般人のためにも、同病者のためにも、自分のためにも、想像以上に大きな意味を持っているのだ。

おまけ

精神医学の歴史

本当は怖い精神科の歴史

世界史

かつて精神障害の人たちはひどい目に遭っていた

精神障害による幻覚や妄想などの症状について、古代では悪霊や悪魔が乗り移ったとか、神の祟りというような非科学的な解釈が行われ、シャーマンなどが対応していた。

中世になると、精神障害は宗教的な悪とされ、魔女狩りの対象となった。社会的な不満が弱者に向けられていた時代であり、精神障害者がそのターゲットとなったのだ。

まともな扱いをされず、適切な治療が受けられないなかで、精神障害を抱えた人たちは、祈りを捧げるくらいしか術がなかったのだろう。毎日でも祈れるようにと教会に身を寄せたり、教会のそばで暮らしたりするようになった。その結果、ベルギーのゲールに代表されるような精神障害者たちのコロニーが、自然発生的にヨーロッパ各地につくられていった。

その後、精神科病院も設立されていくが、多くは収容施設であり、精神障害者は監禁され、見世物にすらされた。いわれのないひどい扱いを受けてきたのだ。

こうした暗黒の時代から長い年月を経てようやく、精神医療は結実していくのである。

世界史

精神科病院の登場！でも、そんなにいいものではなかった

自然発生
精神障害者が毎日祈りを捧げようと教会に身を寄せるようになった

1410年
スペインにヨーロッパ初の精神科病院

1547年
ロンドンのベツレヘム病院

1660年代
オテル・デュー（神の館）

1784年
ナーレントゥルム（愚者の塔／狂人塔）

ヨーロッパではスペインに最初の、続いてロンドンに精神科病院が開設されたが、いずれも実質的には精神障害者の監禁場所にすぎなかった。

パリでは、十字軍遠征での負傷者の施設、オテル・デューが精神障害者を受け入れ、初めて精神障害が体の病気や怪我と同じ場で扱われることになった。ウイーンのナーレントゥルムは、最初こそ隔離せず人道的な扱いだったが、後にドアや鉄格子で仕切られ、精神障害者は見世物にされた。

世界史

とうとう精神障害者が鎖から解放されるときが来た

1789年● フランス革命が精神科医療にも影響

1793年● 鎖からの解放

精神障害者が、閉じ込められたり縛り付けられたりという扱いから解放されたのは、フランス人の精神科医ピネル（260ページ参照）によるところが大きい。

1793年、ピネルはその臨床経験から、精神障害者に対し、隔離や拘束ではなく人道的な関わりを重んじた「鎖からの解放」を唱えたのだ。

こうした動きは、1789年に起きたフランス革命の精神「自由・平等・友愛」の影響を受けたといわれている。

世界史

劣悪を暴く！ エスキロール、コノリー、ビアーズの活躍

1818年 エスキロールが精神科病院の劣悪な実態を報告
1838年 精神科医療の法律を作った
1845年 コノリーがイギリスで無拘束運動
1908年 ビアーズが『わが魂に会うまで』を出版

ピネルの弟子であるエスキロールは、フランス国内の精神科病院の調査に乗り出し、その劣悪な実態を国に報告した。

そして、フランスで初めて精神科医療の法律「1838年法」が制定された。

イギリスのコノリーは「無拘束運動」を展開し、最大規模だったハンウェル精神科病院で、物理的な拘束が禁止された。

アメリカでは、ビアーズが精神科病院の実態について書いた手記『わが魂に会うまで』を出版した。

日本史

日本でもひどい扱いを受けていた

当然のことながら、日本にも昔から精神障害に苦しむ人たちがいた。日本の精神科医療の歩みを理解するには、その法律の歴史を見るとわかりやすい。日本では、1900年に初めて精神障害に関する法律「精神病者監護法」が生まれ、その後、「精神病院法」「精神衛生法」「精神保健法」と続き、1995年に現在の「精神保健福祉法」が制定された。精神病者監護法は「看護」ではなく「監護」であることに注目してほしい。精神障害者を、私宅監置すなわち座敷牢に閉じ込めておくものだった。それまで各々の家で勝手に閉じ込めていたものを、法律のもとに閉じ込めておくようにしたものである。ドイツで医学を学んだ医師の呉秀三は、そんな精神障害者について精神病と座敷牢で「二重の不幸」にあるとなげき、その状態を解消せねばと、精神科病院をつくることを提言し、1919年に「精神病院法」が制定された。しかし、それを機につくられた精神科病院はごくわずかであった。

日本の精神医療が大きく動き出すのは、戦後のことである。

日本史

戦後、精神医療の夜明け

１９５０年　ここで初めて各県に精神科病院ができた！けど……（精神衛生法）

１９８７年　やっと人権への配慮（精神保健法）

戦後の１９５０年、ＧＨＱ主導とも言われる「精神衛生法」がつくられると、ようやく各地に精神科病院が設立されるようになる。現在ある県立の精神科病院の多くが、この法律ができた直後に建てられている。

しかし、精神科病院における人権侵害は著しく、入院の手続きなども充分に定められていなかった。そこで、１９８７年に「精神保健法」がつくられる。入院時どのような書類を用いて、どのような説明を行うかといったことも定められ、任意入院の制度が創設された。

日本史

自立と社会参加を目指す

1995年 精神保健福祉法

一方、「障害者基本法」において、身体障害者と知的障害者に加え、精神障害者が福祉の対象とされた。

その流れを汲んで1995年にできたのが「精神保健福祉法」である。それによって、精神障害者保健福祉手帳、精神障害者の社会復帰施設なども整えられていった。ただ、医療を提供するだけでなく、自立と社会復帰を後押しする動きが出てきたのである。

精神医学の治療をつくり上げた人たち

世界史

「体液説」から始まった精神医学

古代ギリシャにおいて、ヒポクラテスが、すべての病気の原因を体液の乱れとする「体液説」を唱えた。たとえば、うつ病にあたるメランコリアは、黒胆汁の過剰によるものと考えたのだ。体液説は現代医学では否定されるものだが、初めて「医学」という概念が生まれたのだ。

その後、ローマのガレノスが、体液説を発展させた「四体液説」を提唱し、すべての病気は、血液、粘液、黒胆汁、黄胆汁のバランスの乱れによるものとした。

すべての病気は

体液の乱れ

近代精神医学の父が登場！ その正体は外科医だった

近代精神医学の父と称されるフランス人ピネルは、もともとは外科医だったが、友人が精神病を発症したのを機に精神科医に転向する。

ピネルは、働いていた精神障害者の施設で、監護人ピュサンの患者への人道的な接し方が良い効果をもたらすのを目の当たりにし、鎖につながれていた患者を人道的に扱い拘束から解放しようとした。その活動は「鎖からの解放」として知られている。

今の精神医療に通じる道徳療法

ピネルは、治療の対象を病気ではなくその人自身とする「道徳療法」を提唱した。

そこでは、その人の希望、恐怖、人生で味わった苦難が、その精神障害にどう関係しているかを理解する試みとして対話が重視された。また、その人に合った環境での規則正しい作業が精神的健康に寄与するとして、積極的に取り入れられた。

これらは、現代の精神療法、心理療法、作業療法などに通じる複数の要素を含んでおり、そのさきがけとも言えるだろう。
さらに、精神障害の分類、原因、治療などについての、世界初の教科書を執筆した。

精神病を脳の病気と考える「脳病論」

ドイツ初の教科書をしたためたドイツの精神科医グリージンガーは、精神障害を脳の病気と考える「脳病論」を唱えた。脳という臓器を中心に精神障害を考える脳病論は、精神障害を身体疾患と同列にならべ医学としての扱いを強いものとした。

ヒーローの登場で精神医学の理解が変化する！

18世紀から19世紀にかけてのヨーロッパでは、精神医学の研究においてさまざまな人物が登場する。

ドイツのメスメルは、世に満ちた動物磁気を調節すれば病気は治るという「メスメリズム（動物磁気説）」を説いた。これは一種の暗示ブームを起こしたにすぎないが、そこから進展していった催眠療法が、シャルコーなどによって治療に用いられるようになった。ここから無意識の存在が注目されるようになった。

体系的な精神医学が築かれる

ピネルの弟子であったエスキロールは、怒り、嫉妬、驚き、恐怖、満たされない愛情、心理的な苦痛、傷ついた自尊心といった情動が精神障害の原因と考えた。現在の「心因性」の概念である。

フロイトは無意識の存在を想定した「精神分析理論」を提唱した。その理論では心が「意識」だけでなく、普段は意識化されないが意識化可能な「前意識」、そして、意識できないがそこにある「無意識」の3層で構成されていると考えられていた。さらに、無意識の領域にある性的なエネルギーである「リビドー」が人を突き動かしていると解釈し、心が欲望に従おうとする「エス（またはイド）」、こうあるべきという倫理や規則などに従おうとする「超自我」、そして、その両者の間で揺れつつ現実的な選択を下す「自我」の3つを想定し、その3つの力関係で心理的現象が生じると考えていた。無意識を想定した精神分析理論は、アドラーや、フロイトの弟子であるユングなど、多くの心理学者に影響を与えた。

クレペリンは、先人たちの業績や自身の臨床体験をまとめて『精神医学提要』を出版。疾病分類など、体系的な精神医学の考え方を確立し、現代の精神医学の礎を築いた。

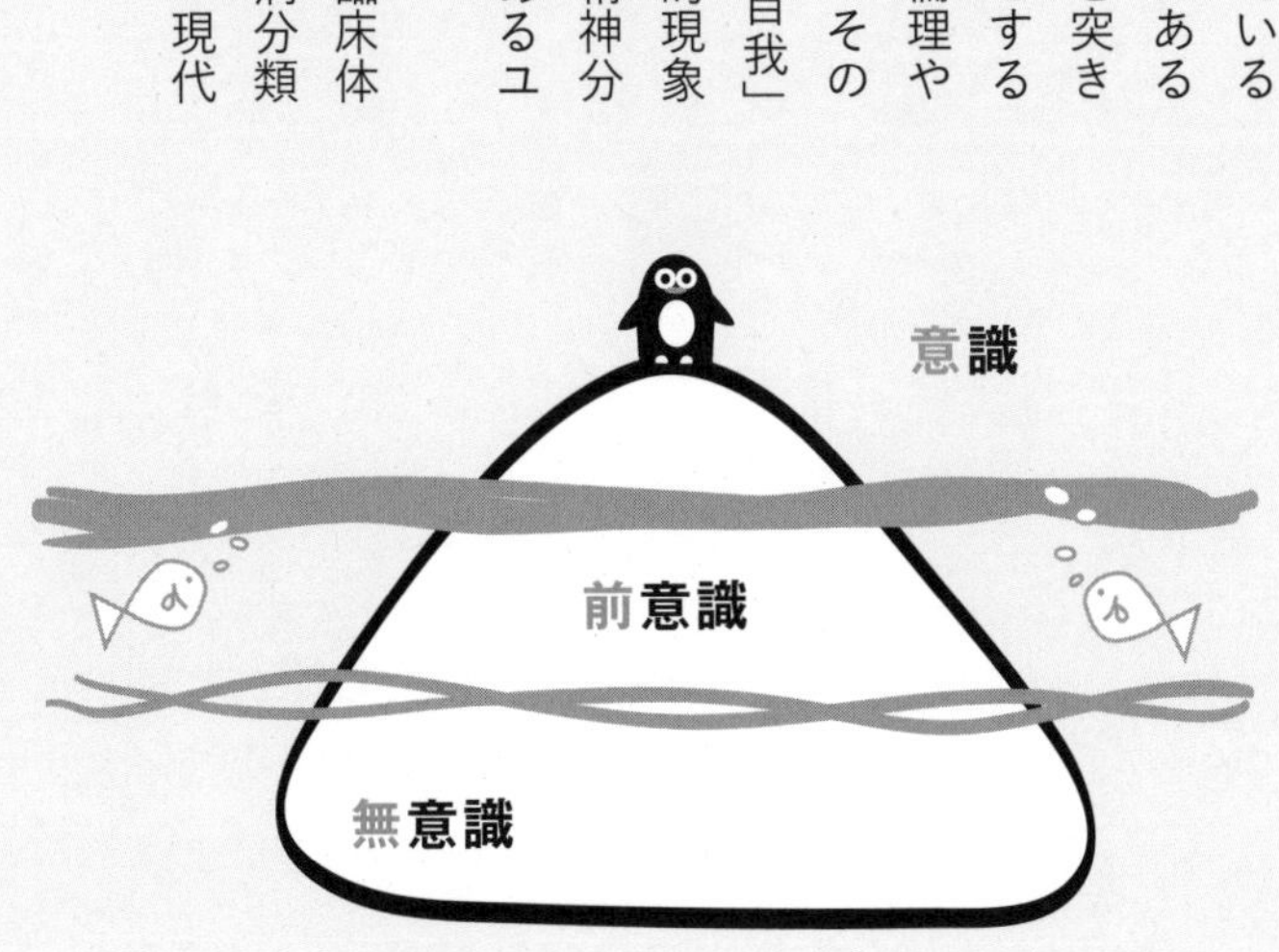

本当にあった
古くて怖い治療

世界史

本当にあった激しい治療法

精神障害者がひどい扱いを受けていた時代には、試みられる治療も怪しいものだった。入浴、冷水浴、嘔吐や下痢、瀉血（しゃけつ）（血を出す）、灌（かん）水療法（頭に水を垂らし続ける）などは、どれも「体液説」に基づいた体液バランスを整える治療と考えられていた。

ほかにも、患者をいきなり水の中に落とすショック療法や、患者を何かに縛り付けてくるくる回す回転療法など、非科学的と言わざるをえない方法が、治療法として用いられていた。激しく危険な治療法も多かった。

・ロボトミー

ドリルで頭蓋骨に穴を空け、前頭葉の一部を切って、問題行動の多い患者をおとなしくさせようという試み。

・マラリア発熱療法

当時は治療されずにいる梅毒が脳に達して精神病になる者が多かったなか、あえてマラリアに感染させて高熱を出させ、熱に弱い梅毒の病原菌を殺す試み。

・インスリンショック療法

体がピンチに陥ると精神状態が良くなるという側面を利用するため、インスリンを大量に注射して低血糖性昏睡に陥らせた。後からグルコースを投与して回復させるが、死に至ることもあった。

現代にも続くけいれん療法

・けいれん療法

当時の人は、てんかんの患者には統合失調症が少ないと誤解していた（実際にはむしろ多い）。そこで統合失調症の患者にカルジアゾールという薬物を投与し、あえててんかん発作を引き起こす治療が行われ、これは実際に効果をもたらした。効果は得られたかも知れないが、危険であった。

・電気けいれん療法

より安全な統合失調症の治療法として1938年から用いられてきた。当時は精神医学で用いられる薬物は存在しなかった。そんななか、統合失調症にも効果をもたらしたこの治療は広く普及した。

いよいよ薬物治療が始まった！

1950年前後に向精神薬が次々と登場し、それを機に、精神医療は「収容」から「治療」へと、大きく変化していった。

1944年に初の中枢神経刺激薬が、1949年に初の気分安定薬が、1952年に初の抗精神病薬が、1955年に初の抗不安薬が、1956年に初の抗うつ薬が誕生する。こうした薬が臨床現場で使われるようになると、「この薬が効くということは……」と脳や体との関係を辿っていく、精神障害についての神経生物学研究も発展していった。

あとがき

私がこれを書いているとき、それはこの本を書き終えようとしていることを意味し、皆さんがこれを読んでいるとき、それは皆さんが精神医学の基本をひと通り学び終えたことを意味しています。

精神医学の世界はいかがでしたか？　そして、この本はいかがでしたか？

精神障害は決して珍しいものではなく、国民全体に関わる5大疾病のひとつとして挙げられるほどです。

これを手にする皆さん自身に関わることもあれば、身近な人に関わることもありえます。精神障害は意外に身近なものなのです。

また、さまざまな精神症状について読むと、なかには自分にも当てはまりそうに思えるものもあったはず。強い精神症状は明らかに異常ですが、軽度の精神症状と正常の間に明確な線は引けず、正常のすぐ隣に異常は存在し、その点でも精神障害は意外に身近なものだったはずです。

そんな精神医学を、この1冊を通して皆さんにお伝えすべくこの本はできました。

私は医学生などの医療系の学生、看護師や研修医から専門医まで、さまざまな人に講義や講演をし、YouTubeなどでは精神医学を解説し続け、高い評価を受けてきました。その経験をもとに、医療系の学生が学ぶにも充分な内容を、一般の方にもわかりやすく解説したのがこの本でした。


もう一度お聞きしましょう。

精神医学の世界はいかがでしたか？　そして、この本はいかがでしたか？

この1冊が、皆さん自身の心の健康のため、皆さんが誰かを助けるため、あるいは教養として精神医学を知るため、何かの形で役に立つものだったとしたら幸いです。

筑波大学医学医療系臨床医学域精神神経科 講師
松崎朝樹

編集協力／中村富美枝
デザイン／上坊菜々子
イラスト（カバー）／山内庸資
DTP（本文）／向阪伸一・岩間佐和子（ニシエ芸）
イラスト（本文）／知名杏菜（ニシエ芸）
校正／玄冬書林
編集／中島元子（KADOKAWA）

松崎朝樹（まつざきあさき）
精神科医・筑波大学医学医療系臨床医学域精神神経科講師。
筑波大学卒業。いくつもの精神科病院や総合病院の精神科、国立精神・神経医療研究センター勤務を経て、2014年より現職。ベストティーチャー賞を何度も受賞。『精神診療プラチナマニュアル』（メディカル・サイエンス・インターナショナル）など著書多数。YouTubeチャンネル『精神科医 松崎朝樹の精神医学』は登録者数5.8万人（2022年12月時点）。『メンタル系YouTuberの会』の会長を務め、医療者からも注目を集めるメンタル系YouTuberでもある。

Twitter : https://twitter.com/Psycho_Note
YouTube :『精神科医 松崎朝樹の精神医学』／『精神科医 松崎朝樹 2ndチャンネル』

教養としての精神医学

2023年１月26日　初版発行
2024年９月25日　５版発行

著者／松崎 朝樹

発行者／山下 直久

発行／株式会社KADOKAWA
〒102-8177　東京都千代田区富士見2-13-3
電話　0570-002-301(ナビダイヤル)

印刷・製本／大日本印刷株式会社

●お問い合わせ
https://www.kadokawa.co.jp/（「お問い合わせ」へお進みください）
※内容によっては、お答えできない場合があります。
※サポートは日本国内のみとさせていただきます。
※Japanese text only

定価はカバーに表示してあります。

ISBN 978-4-04-605865-2　C0040